José Luis Sampedro
Mientras la tierra gira

José Luis
Sampedro

Mientras
la tierra gira

Ediciones Destino
Colección
Áncora y Delfín
Volumen 694

© José Luis Sampedro, 1993
© Ediciones Destino, S.A., 1993
Consell de Cent, 425. 08009 Barcelona
Primera edición: marzo 1993
Segunda edición: marzo 1993
Tercera edición: abril 1993
ISBN: 84-233-2259-9
Depósito legal: B. 7.281-1993
Impreso por Talleres Gráficos Duplex, S.A.
Ciudad de Asunción, 26-D. 08030 Barcelona
Impreso en España - Printed in Spain

A
Felisa Ramos
y Gloria Palacios,
arqueólogas de mis cuentos.

Índice

A mis lectores:

Sobre leones de mármol y soles de oro se alza en el centro de España una estatua de mujer: la Mariblanca. Está en una plaza llamada, pese a su amplitud, la plazuela de San Antonio y ese recinto, rodeado de arcos dieciochescos, es el corazón mágico de Aranjuez. En él confluyen, como dos ríos del tiempo, la historia del Real Sitio y de la Villa, la vida de los palacios y jardines con la de las casas llanas, lo cortesano con lo popular. En otoño, al anochecer, las nieblas del cercano Tajo envuelven a la hermosa Mariblanca en cendales misteriosos que oscilan como fantasmas y se desgarran en el amarillento resplandor de las farolas urbanas.

Por ese recinto solía pasear a diario, hace sesenta años, un muchacho que gozaba sin saberlo de un fabuloso privilegio: el de vivir su adolescencia bajo la doble influencia, mítica y cotidiana a la vez, del Real Sitio y de la Villa. Hoy soy muy consciente de ese privilegio, que moldeó su vida, porque aquel muchacho era quien os dirige estas palabras y por aquella plazuela solía pasearme, como el monje que da vueltas a su claustro. Los viandantes preferían caminar bajo las arcadas laterales y toda la magia de aquel espacio se concentraba en mí y en mis amigos, Paco y Ángel. Y cuando acudía solo, atraído por secreto imán, mis fantasías acababan acariciando un acuciante deseo, casi expresado en alta voz: el de llegar con el tiempo a escribir todo aquello.

Ese deseo se convirtió en necesidad dos años después cuando, llegado a Santander para ejercer mi primera profesión, adquirí la recién publicada *Antología de la Poesía Española Contemporánea*, obra del admirable poeta montañés Gerardo Diego. ¡Qué revelación de la poesía moderna, ignorada por el rutinario colegio de mi bachillerato! Fue el detonante de mis primeras rimas: remedos machadianos, o salinescos, o albertianos, según en qué poeta se posaba mi entusiasmo. Pero logré darme cuenta y me pasé a la prosa, con unos cuentecitos que fui coleccionando en una carpeta rotulada *Palotes*, como alusión a los ejercicios infantiles en el aprendizaje de la escritura.

Sesenta años después continúo aprendiendo y posiblemente no son más que palotes los cuentos que ahora ofrezco. El cuento es un género tan noble y difícil como el que más y sin duda mis relatos quedan lejos de los escritos por quienes, en aquel tiempo, eran mis admirados modelos: Maupassant, Chejov y Katherine Mansfield. No me preocupa, ya que esta publicación no obedece al impulso de juicios estéticos sino al de latidos cordiales. Mis cuentos, valgan lo que valgan, forman parte de una biografía literaria, paralela a la vital, que hurtaría a mis lectores si no ofreciese ahora unos textos inéditos, junto con otros publicados en revistas o diarios prácticamente inencontrables. No se incluyen todos porque algunos me parecen más bien trabajos de circunstancia, pero sí una mayoría más que suficiente para mostrar, a quienes por mi obra se interesaron cordialmente, la evolución del escritor, la sucesión de sus máscaras y de sus obsesiones.

En otras palabras, cualquiera que sea la calidad

literaria de estos relatos —siempre quedo ignorándola—, estoy muy cierto de la viva voluntad con que me entrego en ellos para corresponder a quienes también se me entregaron. Lo más valioso y enriquecedor conseguido gracias a mi literatura ha sido y es el encuentro con personas —algunas resultaron decisivas— que, sin mis libros, no hubiera llegado nunca a conocer. No reservarme estos relatos es completar mis mensajes a conocidos y desconocidos, vaciarme del todo en la botella donde el náufrago, desde la soledad de su isla, lanza al mar su esperanza.

Sin otra pretensión. Quienes me quieren lo comprenderán y creerán que mi actitud al escribir estas líneas es la del niñito que, jugando en la playa, encuentra sobre la arena una concha nacarada, o un guijarro pulido por las olas, o un corcho desprendido de las redes y, conquistador de semejante maravilla, corre hacia la madre a ofrecerle el humilde tesoro y la hazaña de haberlo hallado, arrancándoselo al mundo para ella.

J.L.S., 1992

Este segundo volumen de cuentos es más variado, en temas y en cronología, que el primero ofrecido a mis amigos con los relatos oceánicos de *Mar al fondo;* todos ellos concebidos, y casi todos escritos, hace cuarenta años. En cambio este segundo volumen recoge otros de toda mi vida, con temas y escenarios muy diversos, desde el marco rural al oficinesco, desde lo patético a lo jocoso, incluido lo erótico, claro está. Al preparar su edición me he dado cuenta de que correspondían a tres épocas diferentes, y así se agrupan en el índice.

El primer cuento lleva el mismo título que la novela inédita de donde procede y, con los tres siguientes, evoca temas de la guerra en España. Siguen dos relatos burocráticos de mis vivencias en un anacrónico negociado de Hacienda y luego seis narraciones escritas en 1947 y provocadas por un breve retorno al pueblecito soriano de Cihuela donde, en 1925-26, viví un año marcador e inolvidable. La mayoría son inéditos, pero algunos fueron publicados por la inolvidable revista santanderina *Proel*.

En la segunda etapa —treinta años ya y actividades universitarias— mi temática se diversifica, como muestran los cinco relatos de 1949-51, uno de los cuales, *Arca número dos,* llamó la atención de un editor holandés y fue traducido para una antología. Pero los temas permanentes del campo y de la guerra reaparecen —*Un puñado de tierra, El hombre fiel, La bendición de Dios—,* junto al humor satírico de *La isla sumergida* y *La religión hispánica.* Les siguen dos cuentos inéditos, uno de los cuales, sobre una llave perdida, se convirtió en germen de una novela que espera a ser concluida: *La archiduquesa.* Varios cuentos de esta época fueron generosamente acogidos por la revista *Ínsula,* foco excepcional de irradiación en aquellos tiempos.

Mi tercera etapa comienza veinte años después con *Ebenezer,* recuerdo de mis meses de docencia en el Bryn Mawr College, de Estados Unidos, y fue escrito en homenaje a una mujer admirable, que enseñó allí y en España. Siguen todos los relatos escritos luego hasta hoy: no son muchos porque me he concentrado en concluir largas novelas. Los temas varían desde el terrorismo o el abuso policial hasta la erótica de un diván, un espejo o una insinuada iniciación, pasando por el humor negro de la comercialización de la muerte y por una carta de amor a mi fiel máquina de escribir durante cuarenta y tres años.

Y esos son, como dejé escrito hace un año, los «guijarros pulidos por las olas», hallados en mis playas de papel y con humildad y amor ofrecidos ahora a mis amigos.

J.L.S., 1993

La sombra de los días

(Capítulo de la novela del mismo título.)

Un pueblecito. Repentina invasión de doscientos hombres hirsutos y poseídos de deseos; doscientos hombres cuyas botas empiezan a conmover los zaguanes aldeanos aun antes de haberles desaparecido el polvo, el sudor y el sueño de encima de la sonrisa.

Día de fiesta, casi en seguida, cuando todavía se buscan unos a otros por las callejas. Cornetas madrugadoras, demasiada limpieza, coches sin barro a la puerta de la Comandancia, fajines azules y hasta encarnados. Misa de campaña: las velitas anuladas en el inmenso resplandor del sol. Revista: por delante la pasa el General, por detrás los chiquillos de los payeses. Rancho extraordinario. Paso torpón de la gente ahíta. Alameda. Hombres tumbados tripa arriba, llenos de felicidad.

Árboles desnudos todavía; regato muy frío y silencioso. Capotes. Sin embargo, se vive la primavera. En el inesperado gorgorito del arroyo, en la ráfaga dulce, en el brinco del pájaro, en la claridad de las

17

sombras azules, en la sutilidad de todas las cosas. La orla de una túnica florida acariciando el filo de los montes.

Música, de pronto. ¡Música! La banda de la división acercándose; los hombres incorporándose con regocijo. En los trombones burbujea el aire. Un viejo con barretina en una ventanita.

Escalas del clarinete, tozudez del bombardino. ¡Un pasodoble torero! Hace siglos que no suena ninguno sobre el mundo. Los hombres, conjurados por la música, se emparejan y arrancan un ritmo de tambor en el pellejo de la tierra.

Un soldado sentado en una piedra, reclinada la espalda contra una corraliza, jugando la mano con una brizna (un tallito así y así, con hojitas —tres—, de tal manera). La fiesta vista por él es cruel y sangrienta: hombres a quienes se da júbilo, sol y fiesta como se da cebo a los animales sacrificaderos. Y siente en sus ojos la hinchazón de unas lágrimas muy duras. Lentamente se levanta y cruza el pueblo hacia el cerro.

El caserío va quedando abajo, se va estrechando, empequeñeciendo. La iglesuela, de muros almenados como una fortaleza, tiene al lado un cementerio secular, de grises cruces asfixiadas por la hierba. En la alameda, las figuritas de los danzantes se han vuelto menudas e inofensivas. Dentro de la corraliza, en cuya tapia se apoyó el soldado, una mujer echa grano a sus gallinas. Está ajena a la fiesta, pero, desde lo alto, pertenece al mismo mundo que el pasodoble torero.

Arriba, meseta rasa donde el cielo se junta en el infinito. Abajo, el ancho valle, la clara y ondulada cinta del río, la serranía lejana, muy recortadita en una incorpórea materia azul. Quietud indescriptible. Un pájaro se posa cerca y permanece un rato picoteándose graciosamente la pechuga. El viento libre no tolera ni la huella de lágrimas.

A la sombra de unas ruinas de castillo, otro soldado sentado frente a todo el océano de aire que flota sobre el valle. En su mano, Plutarco.

Compañía y palabras. La fiesta de abajo está bien. El llanto por ella es literatura. La guerra es vida de campo, tan exenta de preocupaciones como la monástica. La guerra deja en infinita libertad e independencia el espíritu. Sólo cuidados inmediatos: la sombra, la yacija, el rancho, el parapeto. Y en cuanto a la inquietud de la muerte, es cosa impropia de las vidas jóvenes.

Paseo y silencio. Los matojos del campo rasguean suavemente en la aspereza de las botas. Ambos se tienden en el fondo de una leve hondonada. Ven así el horizonte prodigiosamente próximo, en los bordes mismos de la hoya, con un festón de hierbezuelas silueteadas sobre el luminoso azul. Junto a ellos, una concavidad llena hasta el borde de agua límpida y viva: inexplicable manantial sin principio ni fin aparentes, sin fuente ni desaguadero.

El cielo, espaldas en tierra y manos bajo la nuca. No se ven uno a otro, pero en sus cuerpos tienen la certidumbre física de estar juntos. Silencios vastos como pantallas para las breves palabras. El cielo, visto así, no es el raso que emplean los poetas, sino superposición en infinitas capas de un fluido insondable, pálido, de antiguo color azul grisáceo, en el que reverbera el sol. El aire casi se oye. De súbito chirría insistente alguna gorda calandria. Es un mundo simple de sólo tres o cuatro elementos; pero, en cambio, ¡qué riquísimo para el olfato! Todas las matas cuyos nombres ignoramos se prolongan invisiblemente por el aire, se entrecruzan, se entrelían en una mística y confortadora floresta de aromas, olores y perfumes: lujo de nuestra seca tierra.

El día suscita la teoría de la primavera. «El hombre como el mundo, tiene cuatro estaciones.» Sentido de la muerte en cada una de ellas: ofrenda en primavera; madurez en estío; nostalgia en el otoño; cumplimiento en invierno. Construyen juntos la teoría, la hacen encajar matemáticamente. Pero «está demasiado bien para ser cierto» sentencia el lector de Plutarco, y el andamiaje se derrumba como un soplo.

La bola de espuma de un vilano aparece en el aire y se queda un momento extática como una alondra. El día se extingue morosamente. El rubio color de los rastrojos, empieza a verdear en el azul nocturno. Al poniente, el crepúsculo se decanta en los siete círculos del cielo: cárdeno, rosa, amarillo, lívido, azul, añil y noche.

De nuevo, abajo, el pueblo. El río refleja un color rosa, la tierra es sólo un matiz pardo. La carretera está fría; la recorre un camioncito de juguete. Humo, en dudosas cintas, nace de las chimeneas. Tal es la visión angélica desde la montaña. ¿Cómo ha sido posible sentir angustia allí abajo, entre esas casitas bondadosas?

1945

Etapa

El camión se ha detenido junto a media docena de casuchas desperdigadas, y hemos saltado a la carretera. El país es áspero; una depresión entre cerros pelados. Los matojos violáceos y amarillos se agazapan al paso del viento, que fustiga la invernal procesión de álamos. Cielo revuelto y gris; pesadas nubes que no acaban de cerrar ni de aclararse. Tan sólo son las cuatro y parece de noche; siluetas de soldados se recortan en el resplandor de las fogatas. Los uniformes ostentan emblemas de otro Cuerpo de Ejército. ¿Cómo podrán alojarnos a todos en esta aldea? Frío; un frío implacable que cala el capote y el pasamontañas, un viento furibundo que se desgarra en la esquina de la casa. Ésta es la primera impresión en las altas tierras de la divisoria.

(En el llano de Urgel estaban florecidos los almendros. Dejábamos atrás un invierno en el Pirineo y pensamos que la primavera había llegado.)

El sargento me lleva, con otro soldado, a la Plana Mayor. Bajo el alero de la casa, una ventanita corresponde a un piso donde es imposible que el Teniente Ayudante, tan alto, pueda permanecer de pie.

21

Desde el zaguán entramos por una puerta chirriante. La oscuridad es absoluta; el pavimento, empedrado y desigual. Rasco un fósforo y surge una cuadra, toda embarazada de sacos de prendas, bastes, cajas de munición, perolas, camillas y el resto de la impedimenta. Enciendo la vela que está en el borde del pesebre. Al pie yace el Cabo, entre mantas y con el pasamontañas puesto.

Sus palabras descorazonan. Aquí no hay nada de nada. Imposible encontrar huevos ni comestibles. No hay taberna; él tiene aguardiente porque se lo encargó a un chófer de los que hacen el convoy a Sigüenza. ¿Mujeres?, menos que oficiales. ¡Y qué frío, muchachos!, esto es la muerte. Viento, siempre viento. Sale uno a sus necesidades y no sabe contra qué tapia resguardarse. ¿Quién se atreve a lavarse?: el agua es yesosa, el arroyo está helado, las manos se quedan ateridas...

Me pide que le abrigue con una lona de tienda individual y me manda a cenar. Mi compañero permanecerá mientras tanto con la impedimenta, a cuyo cargo quedaremos ambos si el Cabo tiene que pasar al Hospital.

Afuera ya es de noche. Los álamos cabecean, más negros que el cielo, sobre el horizonte de cerros. Ronronea un camión; más lejos suena una canción bronca. Hacia donde me dijo el Cabo, las llamas de la hoguera lamen una pared. Entre todos ahuyentaremos la tristeza; alguno habrá con gana de broma que me quite el mal sabor del relato del enfermo y la angustia del sitio desconocido. Pero el malhumor lo descargamos sobre Pascual, un medio inútil que no sirve más que para la cocina. Nos burlamos de su tipejo, de sus hazañas poco bélicas, de su novia: una moza que le hemos inventado entre todos y que nos ha salido exuberante y lujuriosa. Es curioso; le gusta que hablemos de ella. Pero, en el fondo, ¿no nos estamos también refocilando los burlones? Me disgusta el descubrimiento y me callo. Allá en la carretera los faros de los camiones acarician los adobes o se pierden en pleno campo. Descargan y se tornan a Alcolea del Pinar, situado exactamente en la divisoria. Mientras como el rancho me acuerdo de ese pueblo. Había casas con balcones, y una taberna con un poyo a la puerta, mientras que aquí...

Al volver me encuentro la cuadra a oscuras. «¿Qué pasa? ¿Por qué no hay luz?» «Se ha acabado la vela —contesta mi compañero— y no sé donde las haya.» Habla con voz cazurra y me lo imagino sentado torpemente, con los codos en las rodillas y la espalda curvada. ¡Imbécil!, pienso, pero no tengo humor para irritarme. «¿Sabes dónde está la cocina?» «No» —me contesta—. «Pues anda, búscala. ¡Y no tardes!» «¡Claro! —responde con calma—, ¿a dónde voy a ir?» Y ríe.

Agrupo a tientas todo mi equipo en un rincón. El ulular del viento se me hace insoportable. El momento en que cesa deja tan gran silencio que la respiración del enfermo se agranda por toda la tiniebla, y se mete cautelosamente en el corazón. Escapo a la cocina, de techo bajo y ahumado, como tantas por las que he pasado. El hogar de campana, los bancos pulidos, las sillitas de esparto, la ventanuca cerrada. No hay más luz que la lumbre, tras la panza de los pucheros en los trébedes. En un banco, un viejo inmóvil: dos manos de madera en la curva del cayado, rígidos pliegues de la pana, rostro muy retallado con arrugas hondas. Enfrente, una moza de buen cuerpo, pechos firmes y ojos bailarines. Junto a ella, el teniente Sagredo. En una sillita, una vieja con el pañuelo negro muy amarrado a la frente. El cocinero de Oficiales me cuenta que el Comandante se ha acostado y que la segunda compañía no ha llegado aún de Lerma. A la moza la llaman la Roya, por el color del pelo (yo no lo había notado en esta penumbra rojiza). Empiezo a quejarme del pueblo.

«¡Bah! —replica—, no vale la pena. La ofensiva es cuestión de días.»

La Roya está hablando de un Alférez. «¡Más simpático era; más simpático...!» Paladea esta palabra. «Muy majo —interrumpe la abuela—; mientras estaba aquí no nos faltó de nada. ¡Chocolate y azúcar que nos daba! Porque con tantísima pobreza y en el Ayuntamiento de nada que nos dan: ¡si no fuera por ustedes!» La moza sigue evocando la estampa del Alférez. Salían juntos de paseo por el campo. En el invierno hacían trasnochada en la sala; ¡él hablaba con una gracia! «¡Huy! —salta la abuela—, yo no sé cómo no se pasmaban de frío.» «¡Cállese, abuela!» «Sí —continúa la moza—, se quedaba hasta muy tarde, se pasaba el tiempo sin darse cuenta... ¡Más simpático era...!»

Cuando calla, siento crecer un silencio espeso. La mujer quiere acostar al viejo. «No, ya lo diré yo; no quiero que estéis siempre a mandarme.» La voz brota a sacudidas. Cada año vale menos; el invierno pasado todavía se iba solo a la cama. Ahora tienen que acompañarlo, cada vez anda peor de la vista. «Y tengo todo el cuerpo frío: miren, miren.» Se desprende del cayado una mano temblona, entre cuyos huesos se ahonda la piel, en surcos donde yacen venas quietas; una mano que se pasea insensible por la llama. «De este año no paso. Para el invierno me entierran.»

En la puerta, sostenido por la vieja, grita sin volverse: «Y que la Roya se acueste pronto, que luego sus padres me gritan.» «Anda, anda —le chilla la abuela—, ¡qué te van a gritar! ¡Si tú ya no sirves para nada!»

Le pido una vela al cocinero y me voy a la cuadra. Pero allí no encuentro los fósforos, que debían estar en la mochila, y al tantear me golpeo contra el pesebre. Decido volver a por lumbre, y encuentro al Teniente ciñéndole la cintura a la moza. El cocinero ha subido a servir la cena al Comandante. La pareja se queda sola en el hogar.

Preparo mi petate. El viento que penetra por las rendijas estremece la vela. He encontrado la botella del Cabo y echo un trago antes de arroparme. Me canso de esperar al compañero y apago. En la oscuridad gime con más fuerza el viento. En las pausas oigo el alentar oprimido del enfermo y, a veces, corridas de ratas. Cruje la escalera bajo los pasos del cocinero. Pasa el tiempo muy despacio.

Los caminos del Duero temblaban al sol. En torno a un cerro redondo y fuerte la tierra se repartía en sembraduras color de la hez del vino. Los terrones del surco se adivinaban adherentes y blandos. Y en lo alto del cerro, una ciudad de murallas de oro; una ciudad legendaria sobre cuya tarde flotaba una nube antigua y soberana...

Siento acostarse al cocinero. Suben las escaleras unos pasos quedos junto a las botas del Teniente. Luego, a través del techo, sofocos de risa, tintín de cristal, arrastre de un mueble...

Mi compañero, que vuelve, me despierta. Su sonrisa es más imbécil. «¿Sabes?, encontréme a unos paisanos de la 5.ª Bandera.» Se le ha recrudecido el acento regional; debió haber botellas... El viento sopla de lejos sobre la paramera, acercándose vertiginosamente. Sus alaridos crecen hasta no poder más; luego pasan, decaen, se alejan... Camiones; motores que pasan y repasan en la noche...

Al despertar me envuelve la claridad grisácea de las rendijas innumerables. Vigas polvorientas, piedras mal asentadas, rincones de telaraña y el caótico montón de la impedimenta. El cocinero ha salido, el Cabo respira penosamente, mi compañero duerme en un vaho de aguardiente. Sobre el campo, el cielo sigue revuelto y pesado. Desfila una batería al paso lento de los tractores; los hombres van envueltos en impermeables relucientes. Me junto en el arroyo con otros soldados; apenas nos lavamos para quitar el sueño. El Cabo tenía razón; las manos azulean, el agua corta el jabón. Regreso a toda prisa, exhalando un aliento blanquecino.

En el hogar ya está sentado el viejo. La abuela, trajinadora, me contesta que aquella ciudad sobre el cerro era Medinaceli. Yo me alegro de no haberlo sabido cuando pasaba, y de que mi emoción naciera solamente de lo que palpitaba en la visión maravillosa. Ahora me hablan de miserias. La mujer pondera la escasez que padecen. «Si no fuera por ustedes, hijos... Ahora dicen que se nos van; ¿qué haremos? Sólo da la Intendencia, no mandan cosas de comer, no se ha sembrado. Los mozos andan a la guerra, los ganados están perdidos. Ni paños hay. Ya ve usted mi marido: siempre le riño para que no ande tan cerca de la lumbre, no se vaya a quemar la ropa.» «Si es que no siento la calor, mujer.» «Pero si se la quema, no le podrán dar tierra como Dios manda. El traje que lleva era su mortaja, pero como le robaron el viejo unos soldados, se la ha tenido que poner. Entraron los ladrones cuando estaba en la cama y él los vio llevárselo. ¿Qué podía hacer? Y ahora no venden paños.» «Tampoco es cosa de gastar más dinero conmigo. De este año no paso. El otro invierno todavía andaba solo, pero ahora se me ha puesto un nublo en la vista que me tienen que llevar. Y a más, el quebranto y el frío metidos en los huesos. Cualquier día, ya no levanto cabeza...»

En el cascado arroyo de las palabras no puedo descubrir ningún matiz. Ni dolor, ni resignación, ni anhelo, ni siquiera indiferencia... Palabras de piedra. Por la ventanita penetra luz apocada, que se diluye en la penumbra desde su reflejo sobre los estaños y cobres colgados de la espetera. La llama está medrosa; el viento rechaza el humo por la chimenea. «Viento de nieve», pronostica la abuela.

No hay que acoquinarse junto al fuego. Salgo y escalo un cerro; junto a la tapia de una paridera me arrebujo en el capote. Abajo, las casuchas, y el hormigueo de hombres y camiones. Siguen llegando fuerzas; la ofensiva parece inminente. Al fondo, los cerros se hinchan con esfuerzo, y la tierna luz matiza las laderas de ocres, sienas, violetas, amarillos.

Hay manchones de matojos, y por la falda se remontan algunos cuadrales de centeno ralo. La fila de álamos cabecea como una procesión de viejas. Sube la senda un rebaño, guiado por una pastora vestida para esta tierra: el manto sobre la cabeza, zurrón de pellica, gordas sayas, y abarcas y polainas sobre las medias de lana.

Cuando estoy llegando a la casa, empieza a caer un algarazo. A veces, los torbellinos de copos cuajan más, pero pronto vuelve el agua-nieve. Hay como un eclipse del día. La Roya está preguntando al cocinero por el Teniente. «Menudo perezoso; ¡verás qué cara pone cuando le lleve el desayuno a la cama!» ¡Ah, ah!, pienso; la moza se ha olvidado del alférez.

El abuelo bisbisea otra historia. Él también anduvo en guerra. Y les llevaron andando hasta... El año pasado todavía se acordaba. «¿Era de la facción o del Gobierno? ¡Muchacha!, ¿de quién era yo?»

El cocinero me dice que ya está en línea la División. Los nuestros de Lerma nos adelantarán, y nosotros iremos a engrosarlos. El Cabo va a pasar al Hospital, y yo me alegro, porque era mal asunto cargar con él en un avance.

Quisiera que permaneciéramos unos días en este confortable mundo de tosca y recia talla. Recuerdo a la pastora, pasando los cerros como alma de estos lugares. Pero cuando el Comandante me manda llamar, comprendo que la etapa se termina. Otra vez partir.

Para llegar a su cuarto cruzo la sala del piso. Es tan baja de techo como había supuesto. En los muros encalados, una repisa con cachivaches, y un grabado al acero de Nuestra Señora de las Viñas, que se venera en Aranda de Duero. Una cómoda con dos fanales de flores de papel, una mesa de nogal y sillas de enea. Sobre el arcón de pino blanco, los efectos del Teniente: maleta, capote, botas y correaje. El suelo está salpicado alrededor de un lavamanos puesto junto a una puertecita de cuarterones. La mirada mía se detiene en esa puertecita entreabierta, y vislumbra en la oscura camareta el blancor de las sábanas y el reflejo cobrizo de las perinolas. Veo la noche, adivino el fogoso desquite de la hembra, el gozo de los senos desceñidos... Bebieron. Las huellas de las copas no se han secado aún en el nogal oscuro. La cama está muy deshecha... El Comandante aguarda, pero yo no me puedo arrancar de aquí... Y abajo estará el viejo rumiando su diamantina verdad; y la abuela que mendiga el pan de días que no ha de ver. Palabras de piedra: hambres y trabajos, muerte. Y una moza que espera junto al fuego a los que pasan... La penumbra de la camareta encierra un aire espeso, un acre olor de cabellos, un aliento animal...

Hemos terminado de cargar y descuelgo de la puerta el rótulo de «Plana Mayor». Así nos despedimos siempre. Un oficial que pasaba se mete en la casa preguntando. Debe andar a la descubierta de alojamiento. Es joven y buen mozo.

Encaramado en lo alto de la impedimenta, me sacuden los bamboleos del camión, y la velocidad de la marcha arroja en mis espaldas un manto de hielo. Hace menos frío y ya no nieva, aunque el cielo sigue en cerrazón. Allá enfrente baja la carretera por donde llegamos. Entre los cerros se queda el pueblo; las casas desperdigadas se apretujan, se confunden, se empequeñecen, conforme nos alejamos. Extraordinario: el viento se ha calmado, y veo por vez primera en serenidad los álamos. El paisaje queda todo inmóvil en la luz grisienta; inerte y remoto como si ya hubiese descendido en el pasado.

Y en el silencio increíble —sólo el motor y el crujir de la nieve— nosotros rodamos hacia la ofensiva. Aguas abajo, según fluyen los ríos.

1945

Trayecto final

El día desfallece sobre los capiteles derribados en la hierba de la colina. La sensación de soledad es tan penetrante en este alto paraje que cuando, repentinamente, surge un personaje entre las ruinas, se piensa en una sombra, en un espíritu.

«... Mientras se van cerrando las puertas del crepúsculo —revela un texto antiguo— las Horas de la tade se apresuran. A veces ya han huido cuando aún no llegaron sus nocturnas hermanas. Entonces, un invisible curso titubea y la melancolía sume al hombre.»

Mas para el personaje, esas palabras no tienen sentido. Desde lo alto mira el atardecer pensado por los ángeles. Cielo pálido, aire muy quieto, violeta, pequeña ciudad espiscopal sumergida en la sombra del valle. Las desnudas alamedas exhalan un transparente olor de eternidad. Integrado, sin embargo, de aromas perecederos: corteza podrida, musgo viejo, rama tronchada...

La sensación de soledad no se ha alterado cuando el personaje desciende ya por el Vía-Crucis del arruinado monasterio. Abajo, en la carretera, aparece abandonado un camión de la División 158.

Carlos Velasco, alférez provisional, había llegado aquella tarde. La ciudad, recién conquistada, aún retraía su vida civil, y sólo transitaban militares por las antiguas calles. Carlos Velasco las recorría impaciente, preguntando a cuantos llevaban el emblema de la 158, si sabían de algún vehículo en el que pudiera incorporarse. Algunas fachadas tenían pintadas guirnaldas y amorcillos: absurda decoración de alcoba para una calle. En el pórtico de la catedral, unos pegadizos neoclásicos enmascaraban las piedras románicas. Sobre la hornacina de una imagen mutilada, un sol en bajorrelieve, mofletudo y bonachón, esparcía en torno comedidos rayos. Y en un frontis, rezaba una inscripción: «*Ruriis deliciis urbana adiecta voluptas...*».

¿Qué obispo del XVIII, ilustrado y tolerante, aportó tanto «progreso» a la villa? Se adivina que bendecía con manezuelas carnositas, que fomentaba las pías congregaciones de damas y que sus familiares eran abates cultos y afrancesados. Y que paladeaba dulces monjiles, con un chocolate enviado hasta por el señor corregidor...

Tampoco en el control de carreteras halló medio de partir. La tarde estaba meditativa. Un sol muy ancianito se paseaba por el campo aterido, poniendo su cayado amarillo en los surcos y en los árboles. No sonreía ni una cambiante nube. Andar, sentarse y contemplar, se hacía despacio, pero con escondida intensidad.

Anochecido ya, descubrió un camión de la 158 en una plazuela apartada, detrás de la catedral. Éste lo tomaría como fuera, el impaciente alférez recién salido de la Academia. Se sentó en el estribo y apoyó la frente en sus manos. Estaba muy cansado.

De repente vio unas botas sobre el empedrado. No las había oído llegar; quizás llevaran allí mucho tiempo. Era un soldado sin otro uniforme que un «mono» azul y un cinto con la chapa de Automovilismo. El mismo emblema del Cuerpo en la negra boina.

—¿Eres el chófer?

—Sí.

—¿Vas a subir al puesto de mando?

—Sí.

La voz sonaba tan ausente que parecía descortés, casi indisciplinada. Carlos Velasco se propuso no tolerarlo. En el mismo momento en que lo pensaba, el soldado se corrigió:

—Sí señor. La camioneta es de la Plana Mayor y esta misma noche regreso.

—¿A qué hora sales?

—No tengo prisa. Cuando usted me mande.

—Será preferible no llegar tarde. ¿Tienes algo que hacer?

—No señor... Bueno, llevarle a usted.

—Pues vuelvo ahora mismo. Voy a un puesto de moros de aquella calle. Tenían té caliente.

Y añadió:

—¿Quieres?

—Muchas gracias; no. No necesito.

—Listos.

Carlos Velasco sube a la cabina. Cuando el chófer apaga los faros para arrancar, la vieja plaza de los soportales se queda como un pozo de luna. La Ford ocho ronca, da unos estirones y emboca una calleja en cuesta, cuyos balcones casi rozan la cabina. Salen a la carretera por debajo de un arco, y se detienen en el puesto de gasolina, para repostar.

A la débil lamparilla del tablero de mandos, el chófer redacta los vales antes de apearse a vigilar el llenado del depósito. Se le acerca un soldado que se calentaba en una fogata, y le pregunta si va al Puesto de Mando.

—Sí, pero no puedo llevar a nadie.

—Pero, hombre, si vas de vacío. Soy de la División.

—No, no puede venir nadie más que el alférez.

El soldado se aleja mascullando insultos contra esos de Automovilismo. No insiste porque ve al alférez en la cabina. Un instante inquieto, Carlos Velasco contempla el cóncavo cielo, transparente como una noble copa de zafiro. La luna recorta a punta de diamante las siluetas de la catedral románica y de las murallas, donde crece en lo alto una higuera de las ruinas. Cruzan la carretera las sombras gris-azules de los árboles. Bajo la niebla ligera y cenicienta del valle se oye espumear el río entre las pilastras del puente volado.

Esta parte de la ciudad fue, sin duda, un lugar no frecuentado por el obispo dieciochesco. La cuadrada torre, los cubos de las fortificaciones: todo en sueño medieval de siglos revelado ahora por la luna. Esa puerta del río en la muralla aún se cerraba todas las noches, antes de la guerra, al toque de Ángelus.

Cuando el chófer sube a la cabina, a Carlos Velasco se le ocurre pensar si no hubieran podido admitir al soldado. El conductor se explica:

—No he querido que venga porque voy mal de zapatas y necesito holgura para echar mano del freno. Sobre todo en las pistas. Tendrá usted que hacerlo cuando le avise.

—¿Hay muchas voladuras?

—Todas las que han podido.

El paisaje está transido de una luna en sueño cándido, misterioso y ardiente. Hay flores de plata entre la hierba temblorosa. El aire se rasga contra los filos de la cabina. En la líquida luz, el campo flota incorpóreo, pero las copas de los olivos se asientan en sólida peana de sombra. Y las últimas alineaciones del tresbolillo se entrecruzan lejanas a la velocidad de la marcha.

Montaña. En cada curva los faros esculpen un ribazo o, por el contrario, se desvanecen a lo ancho de un barranco. La atención olvida el ronroneo del motor. Silencio tan hondo que se oye a la noche destilar una prolongada nota de flauta, subyugadora, melancólica.

Los dos viajeros piensan. A veces, el alférez sabe que el otro le está mirando, y esta idea le impide ver la carretera, en la que clava los ojos. ¡Es un chófer tan extraño! Su indiferencia es indescriptible, pero en él parece natural. Como si verdaderamente todo le fuese ajeno.

Carlos Velasco evoca fácilmente la última estampa de la ciudad bajo la luna. Le busca una música de nocturno y la silba.

Ay, pero no es un nocturno. Está silbando un vals, un vals vienés cualquiera. Ello le hace volver a pensar en esta su nueva —desde la guerra— dificultad para recordar a Chopin. Parece como si la adolescencia hubiese quedado vencida, pues aunque este vals sea de antes, ya no es un sueño puro: la pequeña historia de cómo se hizo carnal tiene nombre de muchacha.

Aunque no mucho. El recuerdo de Elena sólo es rostro y manos en una túnica angélica y casta. Manos alargadas, en cruz sobre un pecho sin relieve, como de estatua yacente. ¿Estuvo enamorado? Entonces tenía la seguridad. Hoy, en cambio, ya sabe que el amor...

—¡Cuidado!

Junto a la fogata el de Ingenieros indica la maniobra. El camión recula; sus ruedas traseras entran en la cuneta y patinan sobre el hielo. Los faros se posan en el rótulo donde, bajo el emblema del Cuerpo de Ejército, reza: «Puente cortado. Desviación».

Se asoman al barranco peligrosamente.

—¡Más, más!

Es imposible tirar más del freno. Las zapatas chirrían, pero el coche sigue resbalando, atraído trágicamente por el pino joven, al borde mismo del tajo: arbolito novísimo, de brillantes agujas verdinegras. El chófer cambia de marcha violentamente, el camión se sostiene, las ruedas se encarrilan y el vigilante depone su alarma. ¡Uf!

Bajan a tumbos entre sombras de soldados que reparan los baches. En lo hondo menean sus resplandores las hogueritas de las chabolas. Surge un fantasma de oficial, con ojillos deslumbrados en la abertura del pasamontañas y en seguida, como los demás, desaparece de la luz. El volante baila entre las manos a cada traqueteo. Después ruedan suavemente por la hierba de la cañada y cruzan el torrente sobre un puentecillo de troncos. Luego, la escalada por la pista, la maniobra en la curva de acceso, el otro vigilante —arrebujado al fuego, el fusil entre las piernas— y por fin la ruta libre, el ronquido dichoso del motor, y el mar del campo, tranquilo bajo la luz astral.

El campo de verdad, el descubierto en la guerra por Carlos Velasco. Luna no de ceniza junto al piano —ventanal a jardín con surtidores—, sino de metal, plata o acero. Campo a pie, sin literatura, merienda ni gramófono. El monte de los pastores. El terrón en las manos; el ribazo contra cuyo pecho se refugia la cara en el cuerpo a tierra. Los milagros: las hojitas nuevas del roble, de terciopelo blanco-rosa. Y las flores exquisitas de los despreciados cardos: como bolas de espuma azules, amarillas, violetas, escarlatas. Las nubes vistas desde el pie de un árbol —raíz en tierra la espalda— por entre las ramas.

Ruedan aceleradamente. Embriaguez de saeta en

la noche transparente. Sombras nítidas de los montes en sueño. El espíritu se diluye por el espacio y la quimera lunar encanta el tacto, el oído, la vista. El mundo se despoja de accidentes. El tiempo se ha desarticulado en la noche y...

Otra vez se paran las ruedas al borde del precipicio. Unos segundos atirantados dentro de la caja que se inclina, patina, chirría... Carlos Velasco, frenando instintivamente, descubre el mundo muy cerca: quietos de golpe el monte y el abismo. El alma le retorna y se repliega; se estrecha en su pecho dolorosamente.

—¡Hemos escapado de buena!

—Sí, ya le dije que los frenos...

—Sólo me faltaría estrellarme tontamente después de tantas veces...

Y el alférez se sume en espeso silencio.

Pasan junto a una masía. Un corro de mulas, unos cañones entoldados, una hoguera. El centinela hace un gesto de adiós. ¿Por qué? ¿Conoce al chófer? Era un adiós... Y a Carlos Velasco le sobrecoge la idea de que se han quedado solos, de que ya no hay más hombres en su ruta.

Estrellarse.

¿Tontamente?

Uno se imaginaba antes de venir «aquí», que la guerra estaría empapada de presencia de la muerte. Nada de eso. En el puesto, en la chabola, Carlos Velasco ha pensado alguna vez en morir, pero como si analizase una mera posibilidad física, casi ajena. Siempre ha sabido que tenía toda una vida por delante. La muerte no es en primavera.

Y ahora, de repente, se encuentra maduro hasta la médula. Y le urge conocer cómo se explica esa prematura madurez. Necesita saberlo y descansar. Pues sí, es químicamente posible morir en Primavera, como el surtidor: justo cuando se ha llegado a lo más alto.

La idea ronronea en la frente como el motor en la noche. Corre, devora su camino. Tiene prisa. Deja atrás el camión.

Pero éste también tiene prisa. Tremenda prisa. Pasan árboles, rocas, señales. Cada embolada se precipita sobre la anterior; el ritmo de los cilindros se confunde; se torna una nota persistente; se eleva a música embriagada y clara. Hasta que...

Tarde. Los faros trazan un garabato en el espacio, antes de estrellarse contra las peñas. Retiemblan cada vez menos los ecos espantosos del choque, y los restos humeantes se hunden en el silencio. Se agitan las linternitas de un batallón de Trabajadores acampado cerca.

Sólo encontraron un cuerpo, con su orden de incorporación en el bolsillo. Carlos Velasco llegó así a contarse entre los muertos de la 158 división.

Sólo un cuerpo. Aunque vio la muerte acercarse vertiginosamente al parabrisas, roto ya desde la primera voltereta, su frente era un espejo de serenidad.

1945

La sierva y el ángel

Se sabe que en aquel mesón sirvió una moza, muerta de extraño mal antes de la treintena. Se recuerdan sus ojos impresionantes, su intenso mirar: intenso contra su voluntad, porque ella más bien daba la impresión de vivir desentendida de este mundo. Lo demás se evoca menos nítidamente: parece que su cuerpo era esbelto y señoril y sus senos pequeños y recatados; y que, cuando se quedaba absorta, solía cruzar sobre ellos sus manos, toscas y huesudas, pero tan discretas que a veces algún arriero se encantaba viéndola servir la mesa.

No es que eso fuera difícil en aquella posada de humildes trajinantes, acostumbrados a sentarse codo con codo ante las largas mesas de pino blanco. La moza se acercaba al cliente —tal vez un tratante de blusa negra y cachaba con puño forrado de cuero—, sacudía la misma servilleta usada por el anterior, aventaba con ella las migas y se la devolvía al recién llegado. Traía después el pan, el porrón de vino y un cubierto de estaño; sólo tenedor y cuchara porque ellos preferían sus navajas. Solían pedir alubias y guisado, o truchas, barbos, caza o lechazo al

horno en los días feriados, en los que el trabajo
—siempre duro— llegaba a ser abrumador. Aunque
venía una moza sobrera y ayudaba al chico, no daban abasto; había prisas, gritos, barullo y el fusti-
gante «¡Hale, moza, hale!» del amo.

Se dice que en aquel mesón eran todas las mozas
muy placenteras. Sin embargo, solían tener suerte y
acababan casándose: hasta el más errabundo mule-
tero se cansa algún día de yacer en tantas camas y
entonces, si una mujer anda lista... Porque, ¿con
quién mejor casarse que con hembra que tanto ha
oído hablar y aprendido del negocio?

Pero aquella moza nunca tuvo tal fama. Se le acercaron pretendientes, algunos con envidia y escándalo de todo el pueblo, pero no festejó con ninguno, sin
despreciar. Era una mujer diferente. Al acabar la
fregada nocturna subía, rendida y sola, a su cuarto
—un camarachón en lo alto—, hasta que muy temprano bajaba a comenzar la faena: tal era su vida,
sin variación ninguna.

La mañana del día en que murió estaba la mesonera contando a un parroquiano la visita de los
Carabineros, que habían estado de inspección:
«Muy señores míos... Y venga a mirar papeles, y
venga a preguntar; la contribución, el recibo, los
precintos... ¡Todo está aquí, véanlo!... Y qué licores
sirve usted, y qué vende... ¡Ave María Purísima!,
¿Pues no dicen que pago poca contribución?... Muy
señores míos, ¡hijos de mala madre!». La mujerona
remachaba sus frases dándose palmotazos en los
muslos. La moza trajinaba por allí sin hacer caso:
era un día como todos. Pero en aquel instante llegó él.

Se acomodó en un rincón y dejó a su lado la caya-
da y la mochila. No palmoteó, no alborotó. La mesonera le echó una ojeada y no se volvió a ocupar. La

moza, en cambio, le miró fascinada y las manos cruzadas sobre el pecho parecían alas de una paloma que tuviera en el seno. Al fin pudo moverse y acercársele. ¿Comida? Aún era temprano, pero le serviría. Aquel hombre hablaba mansamente.

La moza corrió a la cocina, sacudió la pereza de la guisandera, escogió la mejor fruta y tomó los propios cubiertos que ella usaba; unos más finos que le había regalado un quincallero. Cogió también una servilleta limpia: la mesonera no se daría cuenta.

También a aquel hombre le gustó verla poner la mesa. Al terminar preguntó a la moza por las cosas notables. ¿Cosas notables?

—Hay una ermita... Dicen que tiene mérito, para los que saben distinguir.

—¿Pero a usted no le gusta? ¿Qué es lo que a usted le gusta?

—¿A mí, señor? Yo, pobre de mí... A veces me acerco al río, al regusto del molino viejo. Me gusta ver el agua.

—Sí, el agua es bella.

La sala empezaba a llenarse y a retumbar las voces; la moza se angustiaba. Tuvo que atender a otros mientras él esperaba. Cuando volvió a cobrar le oyó decir:

—Tiene usted mucho trabajo.

—¡Ay señor, de la mañana a la noche! Siempre oyendo por todas partes: «¡Moza! ¡Moza!».

—¿Cómo se llama usted?

—¿Yo? Beatriz, señor.

Ella misma quedó sorprendida al pronunciar su nombre. ¡Hacía tanto tiempo que no lo oía! Era bonito: el mismo de su pobre madre... ¡Y ahora él iba a partir! Tuvo un arranque como para llorar.

—¡Ay! —profirió—. A veces una piensa que más valía echarse a la vida.

Ya la llamaban desde otras mesas. Él había contestado con una dulce, bondadosa sonrisa; estaba se-

guro de que ella nunca «se echaría a la vida». Y esa
seguridad...

Cuando ella tuvo un momento para mirar aquel
rincón, lo vio vacío. Había partido. Él había partido.

Aquella tarde los labradores que abrían sus
tierras para la sementera, vieron al forastero por las
veredas. Cerraban el horizonte cerros austeros de
color de greda, faldeados por unos álamos como altas varas pobladas de follaje que armonizaban con
la nube alargada. Entre los troncos, el espejo del río
con su luz quietecita.

Hacia allí caminaba el forastero siguiendo el curso de un arroyuelo tributario, a veces escondido entre juncos y verdeclaros mimbres. Era una linfa de
agua de tres palmos de ancha, puro cristal tranquilo, con apenas un murmullo y un leve tembloteo en
las pendientes. Aún era de día pero ya bajo los árboles despedía la tierra vapores sombríos, y ya el cielo
tenía una opaca luna vesperal, como un afilado dis-
co de niebla.

Por un estrecho entre las peñas, rodaba rumoroso
el río hasta la pequeña presa. Allí se convertía en
una lámina de agua verdegrís, tan lisa, tan inmóvil,
que eran en cambio las hojas secas las que parecían
resbalar sobre ella hasta el borde inferior donde la
lámina fluía, escapaba, se deshacía perpetuamente,
volviendo a tener voz. Allí, en aquella quietud, frente a las ruinosas piedras y a la quebrada rueda del
molino, parecía la vida más lejos, la luz más
muerta.

El forastero permaneció largo rato contemplando.
Después sacó de su mochila un tomito muy usado y
leyó algunas líneas del primero de los «Diálogos».
Hablan Beatriz (criada), Manuel y Eusebio:

«*Manuel*: ¡Oh, qué agujetas me das, sin cabos y
rotas!

42

Beatriz: Acuérdate que ayer perdiste las enteras jugando a los dados.

Manuel: ¿Cómo lo sabes?

Beatriz: Yo te acechaba por una rendija de la puerta cuando jugabas con Guzmanzillo.

Manuel: Querida, no lo digas al ayo.

Beatriz: Pues se lo diré la primera vez que me llames fea, como sueles.

Manuel: ¿Y si te llamara ladrona?

Beatriz: Lo que quieras, mas no fea.»

Dejó el librito y se tendió, cruzando sus manos bajo la nuca. Oyó tistisear un pájaro. Una mariposa arriesgaba su fragilidad sobre las aguas. En lo alto tembloteaban las hojas de las verdes ramas contra el fondo azul pálido del cielo. Los jóvenes troncos, rectos hacia lo alto, eran de lisa blancura; en los más viejos, ya comenzaba a encresparse la corteza. Susurraban las hojas, gorgoteaba el agua. Ya de noche, el forastero reemprendió su camino y se alejó de la villa.

En la moza, nadie observó nada. Cuando al día siguiente la hallaron en su cuarto, al pie de la ventana, todos juzgaron que había sufrido un ataque. Cumplió su tarea puntualmente, y sólo un instante tuvo el amo que despabilarla al verla como desfallecida contra la jamba de la puerta, mirando fijamente determinado rincón donde acababa de sentarse un hombre que no era más que un arriero.

Como siempre, después de la fregada se subió a acostar. Abrió la puerta de su camarachón, pero no necesitó encender las cerillas para percibir en el acto que él estaba dentro. Sí, junto a la ventana, mitad en sombra, mitad en luz de luna.

Era natural, si quería tomarla. ¡Qué bueno era! Avanzó la sierva con aquellas manos sobre su pecho, como alas de paloma. Él se las descruzó.

Ella sintió su cuerpo, la vida de su cuerpo: un súbito golpe de sangre a la vez que un lánguido, sabroso desfallecimiento. Manos crispadas descubrieron la palpitante garganta que la luna inundó de prodigiosa blancura. «Soy hermosa», pudo aún pensar la moza, y sonrió dichosamente. Él se transfiguraba, se convertía en luz viva, cegadora, indescriptible...

1945

Un día feliz

Madrugada. Mi héroe —como todos los viejos— se desvela temprano y se pone, por decirlo así, a filosofar sobre las cosas en general. Fantasías sin relación con la oficina, ni con todo lo demás. Con la oficina, digo, porque mi héroe no es soldado ni poeta sino, sencillamente, funcionario.

Al fin se levanta, sin despertar a Carmela, y va al cuarto de baño. Contra toda costumbre, ella se presenta allí, en albornoz, con el pelo suelto, y una sonrisa especial.

—Hola, Marcial, ¿sabes qué fecha es dentro de cuatro días?

—...Viernes.

—Viernes, dieciséis de marzo.

—Sí, también.

—¿Sí? Pues se cumplen veinticinco años de nuestra boda.

—¿De qué?... Esto del tiempo es una estafa. ¡Unas veces tan largo y otras...! ¡Siempre lo contrario de lo que uno...!

—Ay, las mujeres no nos olvidamos. Para vosotros, como sólo es una más...

—¿Quién, yo?

Don Marcial se rasca la cabeza casi calva. Qué cosas oye uno...

—No irás a la oficina, ¿no?

—Hum... cae en viernes.

En el comedor Marcial recuerda que el frutero enguirnaldado fue un regalo de bodas. *Ergo...*

—Con salud, señorito —la Damiana ya está confabulada. Habrá que tirar la casa por la ventana— y salud para otros veinticinco.

Marcial piensa. Un poco de libertad en día de trabajo... Tendrá que planteárselo. Un día *diferente:* sin misa, sin chuletas, sin tute con los del segundo, sin teatro...

—Veremos, veremos. ¿Qué haríamos?

—No sé. Dejémoslo al azar, ¿no?

La frase va acompañada de un ademán jovial.

—Yo creo que sería mejor pensar algo.

—Bueno —propone Carmela—, podemos empezar yendo a dar gracias a Dios; luego al Retiro, si hace buen día. Para comer te haré unas buenas chuletitas, y por la tarde nos divertiremos: bajarán los del segundo y nos iremos al teatro. Están dando *La Gran Vía*, ¿recuerdas?

Entran con aire cansado en el ascensor. Cuellos grasientos, viejos sombreros, corbatas rozadas. Caras estúpidas y con barbazas. Un inconsciente auxiliar tercero exclama: «¡A la mina!», sin romper la atmósfera de malhumor y resignación. Don Marcial se asusta, porque el jovenzuelo le miró al decirlo, y a su lado sube el Subjefe de Personal.

Doce chupatintas en cada embolada. El edificio se carga cada mañana y se descarga a mediodía por las escaleras, derramándose el personal como si hubieran abierto unos grifos. Don Marcial camina por los oscuros pasillos de la Dirección general del Recurso.

Faltar o no faltar, ésa es la cuestión. ¿Con un pretexto o mediante confesión? El ambiente lóbrego inspira respeto a la ley y a la justicia, que se administra por este Centro directivo en la vía gubernativa.

Ya han llegado Celso Álvarez (el vecino del segundo), Germán y Cristinita. A poco entra don Tomás, saluda y se mete en su despacho envuelto en la admiración de Marcial. En efecto, este distinguido Jefe introdujo, entre otras notables aportaciones suyas a la cultura occidental, la sustitución de los dos antiguos considerandos de competencia por uno solo, que expresa lo mismo, gracias al feliz empleo del nexo «si que también». ¿Con qué cara le pediríais a un hombre así que os dejara faltar a la oficina?

Al día siguiente, Marcial consulta con Celso, quien opina que se quede sencillamente en casa fingiendo estar enfermo. Las entrañas de Marcial se resisten al incumplimiento del deber y encuentran tantas dificultades en el proyecto que Celso acaba por aconsejarle que diga la verdad a don Tomás.

Marcial suspira, y deja pasar otro día.

Al fin, la víspera de la celebración, parece abrirse un portillo. Don Tomás llama a su subordinado.

—Mire, Velarde: Haga el favor de arreglar este asunto de *Constructora Vergés*. Ahora sale el director con que no vale. Con tacto ¿eh? En la adaptación de usted tengo confianza.

—Gracias, don Tomás.

Y suspira. El Jefe se siente afable.

—¿Qué le sucede?

—Mi señora. Que dice... que no está bien, que no se encuentra muy bien.

—Vaya por Dios, hombre. ¿Y qué tiene?

¿Quién osaría añadir preocupaciones a las que ya gravitan sobre este puntal del Centro directivo?

—Nada, realmente nada. Un poco delicada. Y precisamente mañana que...

Don Tomás estaba realmente en un momento propicio. Deja los lentes en la mesa y:

—Mire usted, Velarde; a las mujeres no hay que hacerles caso. La mía, en cuanto la mimo un poco y me estoy una semana sin ir al café después de cenar, ya empieza con dengues y caprichos. Verá cómo la suya no tiene otra cosa que fantasías moriscas.

¡Su bondad ha llegado hasta el extremo de dar consejos! Marcial se retira lleno de gratitud, a «adaptar» el expediente Vergés. Es sencillo: donde puso «Considerando... Considerando... Considerando que sí», escribirá: «Considerando...». Y ¡zas!, desnucado. No es preciso alterar los fundamentos legales: ése es el mérito. Ahora bien parece mentira que quien lleva tantos años adaptándose termine con un burdo «este Centro ha resuelto denegar». Es que su preocupación le obsesiona. Enseguida rectifica y escribe: «Esta Dirección General se ve en la imposibilidad de admitir, en términos legales, la procedencia de lo solicitado.— Dios, etcétera».

Viernes, dieciséis. Hay una circunstancia favorable: la lluvia que resbala por los cristales. Ninguno pensará que su enfermedad sea un pretexto para irse de paseo.

Que las cosas se resuelvan, como siempre, por sí solas. La alianza femenina aguarda cautamente. Se mira el reloj como en las batallas decisivas de la Historia. El tiempo es todo. Si la indecisión le arrebata a Marcial los segundos suficientes para alterar sus costumbres, cuando llegue al comedor, Carmela podrá decir:

—Llevas ya siete minutos.

¡Siete minutos! Entonces... Dios lo quiere.

—Ya lo sé. He decidido no ir.

—Sí señor. Los hombres tienen que ser hombres —gruñe Damiana.

—Yo no te había dicho nada, querido, porque tú sabes mejor lo que se ha de decidir. —Con estas palabras Carmela salva la situación, comprometida con el exabrupto de Damiana.

¡La pobre!, rectifica Marcial. Y personalmente baja a la lechería para telefonear, pues teme las imprudencias de Damiana. Les quiere mucho, pero... Ha cesado de llover y amenaza un delicioso día. Además, por el aparato se identifica la voz de González, el de Secretaría, como si estuviera presente. Desfigura la voz, no le entienden y tiene que gritar... ¿Le habrán reconocido?

La inquietud le persigue hasta la misa. ¿Qué médico certificaría en caso necesario? Porque el de casa es un vejestorio que no se atreve a nada.

Fue una lluvia de primavera, para lavar el cielo. Delicioso aire mojado. Los tranvías van con las ventanillas bajadas. Chían las golondrinas, rasando el Salón del Prado, donde sobre el césped se mecen los globos de espuma de los villanos, listos para largar amarras. La prisa de la gente da a la calle un aspecto extraño, pues contrasta con el sol, que es como el de los domingos.

—¿Verdad que es divertido pensar que detrás de esas ventanas están trabajando tus compañeros? —prorrumpe Marcela.

Marcial se aterra. ¿Por qué tomaron por esta calle? ¡Cuán cierto es que el delincuente se siente siempre atraído por el lugar del crimen!

—¿Te pasa algo?

—Hum... Algo raro, como un presentimiento. De... de que me coja un auto.

Ha exhalado la frase como expresando un deseo.

El aire del Retiro huele intensamente a corteza verde, como una rama recién tronchada. En la hierba, las sombras son azules. ¡Cuánto pájaro! Caminan beatamente. Hay niños jugando, vestiditos de fiesta. ¡Si resulta que hay gente para quien todos los días son domingo!

En un tablar de huerta, inundado de sol, refulgen las azadas. Un jornalero canta. Huele fuerte a tierra el surco abierto, y exhala un vapor blanquecino. Los álamos de la linde opuesta parecen vibrar.

—Mira, aquel trabajador está descalzo, Marcial.

—Es valenciano.

Hoy, todo lo que dice es cierto. Enfrente de un banquito, emergen tras el seto de evónimo, unos árboles prodigiosamente esbeltos. Espadas de sol transmutan la fronda en oro. Juegan hojas, aire, luz y sombra; se entremezclan las aves...

—¿Te acuerdas? —susurra Carmela—. En tal hora como ésta...

En sueños prorrumpe un organillo. Viene un tufillo a tortilla de patatas y vino tinto. Se sienten los zapatos estrechos y el rostro sofocado. (El aire menea los chopos; anda el río.) Los chiquillos dan vivas a los novios. Unas nubes dichosas navegan sin rumbo. Un cuerpo, joven, placentero y ágil oprime el brazo. La pleamar de la vida alcanza la delicia.

Regresaron a casa y comieron chuletas. Luego bajó Celso con su mujer. La estratagema había tenido éxito. En la oficina le daban por grave. «¡Para que don Marcial falte!» El propio don Tomás...

A Marcial le torturaba el tema. Tuvo que cortar, enfadado:

—¡Te advierto que no estoy bien, no señor! Me duele un poco el pecho. Esta mañana he tenido como un presentimiento.

Pensó que sería justo que Dios le castigase. Mas a pesar de todo se fueron a ver *La Gran Vía*. Mientras ellas se arreglaban, Celso le contó las novedades burocráticas. Mendoza, el de Contabilidad, había pedido traslado a Palma de Mallorca. ¿Y sabes para qué? Para ver si en la Isla Dorada puede desarrollar una novela que lleva en la imaginación.

—¿Es posible? ¿Mendoza? ¡Qué cosas!

Al salir del Teatro Marcial recibió un golpe de aire y sintió «de verdad» dolor en el costado. ¿Tomaban un taxi? No, no; podía caminar.

Y quería. ¡Oh, cómo quería! Marchaba contemplando la ciudad como un gladiador que va a morir. Percibía hasta la provocación de las mujeres guapas. Se embriagaba como un héroe en la agitación urbana, tan real como su dolor de ahora, mil veces más bella que el sueño de la mañana. Presentimientos, coartadas, retorno al lugar del crimen... ¡Al diablo! Al fin era feliz su día de fiesta, y podía disfrutarlo tranquilo.

Se metió en cama sintiendo entrañable amor por aquella mujer gorda que se arrodillaba para desatarle los zapatos. El médico le encontró un fuerte catarro que era preciso preservar de complicaciones. Marcial degustó esta palabra y se la repitió a Celso para que insistiera en la oficina. Quizás vinieran a verle el lunes.

La aspirina le sumió en sopor. Sentía el cuerpo abotagado, como una pegajosa estatua de barro. Se le ocurrían cosas raras: doblar con toda su fuerza los pulgares de los pies sobre los demás dedos. La frente se le abombaba como un globo, y luego se deshinchaba hasta tocar el paladar. ¿Y los ojos? Estaban en algún sitio, aprisionados en órbitas de hierro... Su última idea clara fue la de sonreír con gratitud a la fiebre.

Se despertó bañado en sudor, pero más despejado. Carmela le velaba en una sillita baja, a la luz del portátil. Al oírlo rebullir volvió la cabeza y lo miró con verdadero amor. Amor de toda la vida. Pensando en estas cosas, por decirlo así, tan elevadas, Marcial volvió a dormirse.

Entonces un portero galoneado le introdujo en un

salón con filas de bancos. Tras una mesa había seis Jefes Superiores de Administración, presididos por otro funcionario de categoría desconocida. Ante el Tribunal, un blanquísimo cordero, que tenía los mismos ojos de Carmela... ¿Dónde estaba Carmela? Quería tenerla a su lado.

Le preguntaron su nombre y un Secretario empezó a buscar en el Registro. Al volverse se le vieron las alas. «Nada», dijo por fin. Debían hablar en francés o algo así; desde luego otro idioma, pero que se entendía.

—¡Imposible! —gritó el Presidente con tanta excitación que se le tambaleó el triángulo de la cabeza y se lo tuvo que encasquetar.

—El Cargo y Data están en blanco —se excusó el Secretario—. Quizás una declaración jurada...

—¡El ponente soy yo! —chilló un Jefe Superior—. ¡Y no tolero que el Cuerpo Auxiliar se irrogue...!

Mientras se resolvía la cuestión de competencia, Marcial echó de menos la paloma. ¡Ah!, estaba allá arriba, en lo alto del archivo.

—Bueno —zanjó el Presidente dirigiéndose a él—. ¿Tú has hecho algo?

Expedientes, claro. Toda la vida.

—Me parece que nada, Elevadísimo Señor —contestó Marcial con humildad.

—Procura recordar, aunque sea algo delictivo. Siempre será una base para que el abogado de tu nombre proponga acceder a tu petición. De lo contrario...

Marcial volvió a zambullirse en aquel lago de sesenta y un años de profundidad. Emergió con las manos vacías.

—Me atrevo a indicar a Vuestra Excelencia que recuerdo haber crecido y tomado mujer. Y hube de ella un varón llamado Aseth.

Esto no era cierto, pero resultaba apropiado. Y convincente, puesto que todo desapareció y entre arpistas y trompeteros le condujeron a su bufete. Allí todo era hermoso: los expedientes ya traían su conceder o denegar, y un extracto de la legislación aplicable. No era una oficina cualquiera: al Elevadísimo Señor le llevaban el sueldo en una carterita de piel como a los Ministros. ¿Y a qué hora se sale? Nunca, nunca, nunca, entonaron las voces celestiales de sus compañeros. Y su corazón se deshizo en alabanzas.

1946

El tratado con Laponia

—¡Lolita! ¡Lolita! ¡Vamos a hacer un Tratado!

Sorprendida, Lolita salió de la cocina y se tropezó en el pasillo con Fernando. Venía contando que hacía falta un secretario, que el tratado era con Laponia, que le habían nombrado a él, que el jefe de la delegación extranjera se llamaba Lukajaervi, Ekko, y que ya estaba resuelto lo de los abriguitos de los chicos. ¡Por fin le servían de algo sus estudios de comercio!

Los había dejado, años atrás, a la mitad, porque en una función de teatro, al decir un personaje: «Es un partido inmejorable para ti, Lucrecia. Posee el título de Perito mercantil», el público rompió en una carcajada tan unánime que Fernando Chinchilla, auxiliar de Hacienda, con destino en la Dirección general de Recursos, se avergonzó para siempre. Con todo, ahora le venían muy bien sus conocimientos de francés y de taquigrafía.

Pero Lolita no estaba tan convencida: recordaba el entusiasmo de Fernando con aquellas traducciones que sólo le produjeron jaquecas y mal humor, y con aquellas clases de Geografía que le obligaron a aprenderse cincuenta y dos puertos de Chile. Todavía le sonaba en los oídos aquel «Arica, Pisagua, Iquique, Tocopilla...». Así es que trató de concretar:

—¿Seguro? ¿Cuánto?

Fernando se molestó: ¡Siempre lo mismo! Risueño, el que hacía ese trabajo con el anterior Director, venía a sacarse de mil a tres mil pesetas cada vez. Y su nombramiento era ya cosa hecha porque... Mientras tanto, Lolita se juraba no encargar los abriguitos sin el dinero en la mano.

Pero efectivamente, era cosa hecha. El jueves telefoneó Fernando a la vecina del segundo para que avisase en su casa que cenaría en el Ritz y que llegaría muy tarde. Los chicos, excitados, quisieron esperarle, pero se durmieron. Lolita le esperó, acostada, hasta las tres de la mañana. Entró excitadísimo, besándola y acariciándola fogosamente, como en los primeros tiempos. Ella se dejó hacer, intentando comprender sus desordenadas frases.

—¡Chiquilla —empezó— es fan-tás-ti-co!

Habían estado en el Ritz el Señor Director, el Jefe de Asesoría, dos peces gordos del Ministerio de Estado, y él. Las dos Comisiones habían cenado en una gran mesa, y en otra pequeñita él con la Secretaria del señor Lukajaervi «porque ellos escriben el apellido delante, ¿sabes? Bueno, y ella es muy fea y sosísima, no vayas a pensar». Ni siquiera sabía lo que había cenado: todo era muy bueno, ¡pero cualquiera adivinaba de qué estaba hecho! ¡Daba gusto ver tantas copas y tenedores y tanta gente elegante, y tanto hablar francés y...! Pero, sobre todo, ¡qué luces tan suaves, tan nacaradas, tan... tan...! ¡Oh!

La besó de nuevo mientras apagaba la luz de la mesilla. Lolita estaba influida por el entusiasmo de Fernando y se sentía mecida en la oscuridad por el olor a perfume y a licores exóticos que él difundía por el cuarto.

—No saben hablar sin comer y beber, con el café,

los licores y los cigarros; Erna, la secretaria lapona, y yo, lo mismo. Ella también fuma. ¿Sabes?, muchos cigarrillos rubios. Subimos al departamento de los lapones —tienen varios aposentos, claro— y cuando empezaron a hablar yo saqué mi bloc. Pero ¡si, si! Primero tuvieron que contar todo el viaje, y sus impresiones de los toros y de las mujeres. De mujeres dijeron cada cosa... Incluso nuestro Director, cuando estuvo en París en comisión de servicio...

El resto de la historia cosquilleó deliciosamente la orejita de Lolita. Su cuerpo se agitó por la risa.

—Bueno, yo nunca hubiese creído que él... Y Erna escuchaba como si tal cosa. Total, que a la una y media cada cual presentó un proyecto distinto de distribución de trabajo, se hicieron mutuas promesas de facilidades en la negociación, y... ¡Qué maneras, Lolita! Yo me sentía... no sé cómo... Superior, sí. ¡Ah!, y he venido a casa en el coche del señor Director. Venía de muy buen humor y siguió contándonos aventuras. Mira, una vez...

Lolita rió en la oscuridad. ¡Aquel novelesco ambiente mundano de Gran Hotel! Sentía gozos por todo su cuerpo, y se acercó mimosa a su marido. Por la mañana todavía eran felices.

Los niños —dos delgaditos, pálidos, que miraban los escaparates sin que se les antojase nada— comenzaron a admirar a su padre. Y también los vecinos, pues don Fernando iba todas las noches al «Ritz» para arreglar con el extranjero que bajasen el precio de la leña y por tanto, del cisco y del carbón y, claro está, del pan. Sobre la camilla se veían legajos venerandos junto a la nueva máquina portátil, tan pequeña, perfecta e inteligente. Además, papá volvía siempre de madrugada, como el señor del principal. Y se había hecho un traje.

Esto último a instancias de Lolita. ¿No se iban a hacer abrigos los niños y ella? No podía él seguir yendo al Ritz con el traje viejo. (No le dijo que tomó tal decisión cuando le oyó contar que la señorita Erna tenía unas pulseras y una estilográfica maravillosas.)

Por las noches, él ya no decía nada. Traía consigo el «ambiente» y nada más. A su llegada, descendía sobre la cama un olor a habanos y a licores que daba a los besos un sabor «cosmopolita». Se les ocurrían «locuras», muchas «locuras». Y una noche en que él se trajo una cosa que se comía allí, se sintieron dioses, como si hubiesen probado ambrosía.

Todo era superior, elevado, sublime. Los escritos de Fernando decían cosas como éstas, que hacía a Lolita amar más y sentirse amada desde más:

«Monsieur LUKAJAERVI, repond qu'il ne negligera aucun moyen d'arriver a la cordiale entente desirée... Monsieur ROLDÁN DE VELASCO remercie très vivement Monsieur le Commissaire de la Laponie et ajoute qu'il a pleine confiance que les soins apportés...»

La última sesión. Fernando oprimía contra sí el frasquito en que había guardado un poco de champaña para Lolita. De pronto, sintió latir su corazón cuando se pusó en pie el señor Lukajaervi, Ekko.

«La comisión lapona... expresaba su gratitud, su más ferviente gratitud... innumerables facilidades... colaboración preciosa... sin olvidar a dos valiosos funcionarios: la señorita Trotli, Erna y el señor —consultó una nota— Chinchilla, Fernando... cuyo tacto, celo, competencia... penosa tarea de Secretarios.»

Con la venia del señor Director contestó el señor Robledo: «Agradecía... compartía... tanto era así... procedente, aconsejable... ¡ejem!, quizás... pongamos dos mil... para su Secretario. Y aunque era de régimen interior de la Comisión española... constancia del asentimiento común... justificación de la partida presupuestaria correspondiente.»

Y entonces se levantó raudo el señor Director, antes de que el Jefe de la misión lapona otorgara su indudable consentimiento.

«De todo corazón apoyaba... estimaba justísima... Pero, en su opinión... aún mayor delicadeza... no atribuir tácitamente el celo de ambos Secretarios a una mezquina expectativa monetaria... no herir sentimientos dignísimos... no hollar, no encenagar un puro ideal de servicio desinteresado a la Patria... En suma, proponía para el señor Chinchilla y señorita —consultó nota— Trotli, la Cruz del Servicio Civil de segunda clase, a esta última con el distintivo de "extranjeros".»

Maquinalmente, el homenajeado dibujó en su bloc un círculo, encima un pentágono con la punta hacia abajo, y puso en la medalla la inscripción: «Al servicio sin par». Justamente en aquel instante se sintió ornamentado con las insignias del Reno de Oro, que representó con una arborescencia a cada lado de la medalla.

Se escabulló en cuanto pudo y, en la misma puerta, delante del portero engalanado, estrelló el frasquito contra la farola, y se alejó en la niebla con las manos en los bolsillos del traje nuevo. Un perro vagabundo, rondador de la puerta de servicio, se puso a oler el líquido amarillo y espumoso. Mas se encogió de hombros y se alejó también.

1946

La felicidad

La tarde estaba inmóvil, tendida al sol. La señorita María, sentada bajo el emparrado, contemplaba la hermosura del huerto. Escogió una ciruela de un canastillo, se la llevó a la boca y la paladeó con fruición. Muy bajito, se dijo: «Soy feliz». Y en aquel instante descubrió a un hombre que la estaba mirando desde el otro lado de la cerca. El hombre quedó confuso y aparentó indiferencia. La señorita María, pensando en que debía estar muy bella, fue amable:

—¿Quería algo, buen hombre?

No esperaba que le hablasen, y vaciló. Se quitó la boina, que llevaba aviserada como los labradores de la tierra, y dijo:

—Doy gracias a la señorita. Buscaba el camino, aunque no ando perdido. También... Sí, también tenía sed. Pero no mucha; ya se me ha quitado. En realidad —añadió más seguro— me detuve para mirar a la señorita; para mirarla comer ciruelas. Pasaba por aquí... Espero que no le habrá molestado la contemplación del vagabundo.

—Si sigue usted hasta la casa, Luisa le dará toda

61

el agua que quiera. Pero quizá, si la sed es tan poca, prefiera una ciruela.

—De ningún modo. Si lo permite, voy a retirarme.

—Es usted el primer vagabundo que rechaza fruta.

—¿La señorita la ha ofrecido a otros? —replicó él con alguna sequedad.

—No. Por aquí sólo pasan mendigos, que vienen a pedir. —Y añadió—: ¿La rechaza usted?

—No; estaría mal. No acepté antes porque, como usted sabe, los vagabundos preferimos robarla.

Y saltó prestamente la cerca.

—¿De veras, señor vagabundo?

Y rió. El hombre esperó muy quieto a que acabara de reír. Sólo se movió y tomó una ciruela cuando estuvo seguro de no haberse perdido ni siquiera el silencio que siguió a la risa. Prefería algunos silencios a las músicas que los engendran.

Era alto. Tenía manos morenas y agradables. Vestía de pana. Calzaba abarcas. Se había puesto el cayado al antebrazo y le colgaba del hombro un zurrón de pellica. Se acercó la fruta a los labios devotamente.

—¿Siempre es usted vagabundo?

—No, señorita. A veces, peregrino... Pero ahora me siento vagabundo.

—Peregrino y vagabundo —repitió pensativa—. ¿Es diferente?

—Cuando soy peregrino, recuerdo que hice voto de llegar; cuando soy vagabundo, sólo siento el andar, el partir. Y esto sucede precisamente cuando el encuentro de la etapa retiene al peregrino y le invita a permanecer.

—Es curioso —respondió lentamente la señorita María— que a mí me pase lo mismo. Cuando estoy amando más a mi hogar, a mis tacitas y a mis libros, entonces siento de repente la congoja de partir sin saber. Pasa pronto; mi carácter es sereno. Pero... Es usted un vagabundo extraordinario; nunca he compartido tan profundamente las palabras de nadie.

—No es extraño. Siempre acierto hasta el fin, siempre comprendo; permítame que se lo diga. Y más en una tarde tan perfecta, con unas nubes tan bellas.

—Pienso que usted ha de hacer versos —dijo ella después de un silencio—. ¿Es así?

—No; por favor. Yo no escribo. Es mejor, por ejemplo, ser amable con las mozas de las posadas —contestó evocador el vagabundo—. Amable y nada más. Bueno; también sé jugar con los niños. No es tan fácil.

—De todo eso no se saca nada, vagabundo.

—No sirvo para lo que produce, aunque de ello me sustente. Pero estoy muy orgulloso de saber jugar con los niños. Pocos hombres son capaces.

—Cierto. Será usted el primero que conozco, si es verdad.

Y entonces sucedió algo que demostró cuán verdad era. Nunca fue más difícil para el vagabundo que cuando por la senda de la casa llegó corriendo una niña. Abrazó a la mujer y la llamó «mamá».

La señorita María tuvo pena del rostro que vio entonces.

—Debí corregirle el «señorita» desde el principio —dijo vacilando—. Pero no me di cuenta: en esta tierra todos me conocen por la señorita María. Sin embargo...

—No se preocupe, ¡por favor! Es una pequeña equivocación que entra por completo en el orden habitual de las cosas.

Hubo un silencio antes de que la mujer hablase.

—Mira, María; mira qué señor ha venido de visita. Le gustan mucho los niños.

La palabra «señor» ya no era cosa de broma, sino una *ejecutoria*. Así le fue a ella más fácil mirar los ojos del caminante y hasta iniciar una sonrisa.

La niña examinaba al hombre, pero sin entregarse. El vagabundo adivinó, se acercó a ella y dijo lentamente, convenciéndola de golpe:

—María... ¿Te llamas como tu mamá, verdad?... Ya lo sabía...

Los dos jugaban aún cuando empezó a anochecer. La señorita María los miraba sin ser vista, desde la ventana del granero. Sentía los pasitos del crepúsculo, y pensaba. Quizás el vagabundo pensaba también, cuando a veces parecía distraído y la niña le tiraba de la chaqueta.

—¿Y ahora, qué es usted, señor?

—Ahora soy el oso.

—¿Y yo?

—Tú tienes mucho miedo, princesita.

—¡Uy, qué miedo!

Así pasó la tarde; sencillamente así. A las últimas luces, el hombre pintaba en un papel para la niña sentadita a su lado. Cuando terminaba un dibujo se ponía a mirar a lo lejos, o a los deliciosos cabellos rubios que la pequeña apartaba constantemente de su mejilla.

De pronto se encendió una ventana entre los árboles, y a poco apareció la señora. Al ver los ojos del vagabundo no se atrevió a mentir, lo que le fue agradecido de todo corazón.

—Ya he estado viendo que has sido muy buena toda la tarde. ¡Oh, qué bonito dibujo!

—Lo ha pintado este señor, mamá. Mira, es una mujer comiendo ciruelas. Guárdamelo tú, anda.

—Sí, hijita. Yo te lo guardaré, y cuando seas grande te recordará a este señor.

—¿Pero es que se marcha? ¿Te tienes que marchar?

—Sí, tengo que irme. Soy vagabundo y tengo que seguir andando.

—¿Y no te cansas? ¡No quiero que te vayas!

—A veces sí me canso; a veces sí.

Se encaminaban los tres hacia la casa.

—Espera un momentito —dijo la niña—. Voy a enseñarte mi muñeca. Verás qué bien la tengo vestida. No te vayas, ¿eh? —Y echó a correr.

—Ha sido usted muy amable con la niña.

—Sí, señora. Siempre sucede lo mismo. Los hijos de... Bueno, los niños, me quieren. —Guardó silencio—. Es mejor, sin duda que me marche ahora mismo.

Ya cerca de la verja, ella dijo:

—Si no quiere usted cenar con nosotros... Desearía hacer algo.

—No, muchas gracias. Doy gracias a la señorita... Me gustaría solamente, si fuese posible, que cerrase usted la puerta muy despacio.

—Sin duda —contestó sin mirarle.

Ella regresa a la casa, sube los tres escalones y abre la puerta. Su silueta se recorta un instante en la luz del vestíbulo. Hace un gesto de adiós y cierra lentamente. Allí se queda él, en el camino solitario, aspirando el perfume de las lilas. Siente el frío de la verja en la frente; emprende la marcha.

Se aleja en compañía de su cayado, que golpea la tierra cada cuatro pasos. Uno, dos; uno, dos. Allá enfrente, en la noche, una puerta iluminada que se cierra lentamente.

1947

El agostero

El Arsenio arrancó una espiga del fajo, la desgranó en el cuenco de su mano, sopló las granzas y contó: trece.

—Por qué será —dijo levantando el rostro— que cada espiga da ocho, diez o veinte granos, y luego la cosecha no produce más que tres o cuatro simientes. Mi mujer contó una vez cuarenta y dos granos en una sola, y yo con llevar seis a mis trojes me conformaría.

El escritor que hacía de agostero miraba la mano labradora. Curioso, aquel montoncito de granos, menos morenos que la renegrida palma.

—Yo no me quito de sembrar este trigo blanco —prosiguió— aunque centenea mucho. Me gusta más que el royo de por aquí.

Curioso, sí, el gesto delicado de la mano áspera, sosteniendo como una copa aquellos globulitos alargados, que son el pan.

—¿Sabe de dónde tengo esta simiente? De su casa de usted, de cuando yo servía en ella. La trajo su tío, que esté en gloria, de la capital. «Manetoba», la llamaban.

Estaban a la sombra de una hacina. El escritor venía a trabajar a la era del Arsenio; decía, bromeando, que se había colocado de agostero. Pero resultaba muy torpe: no sabía sostenerse en el trillo, con gran risa de una niñita que en la era vecina guiaba una yunta. Cuando el Arsenio ahuecaba la parva se formaba un oleaje de espigas y el trillo cabeceaba como un esquife. Entonces el pobre agostero se afirmaba en los travesaños y tiraba del ramal para no caerse, así es que la yunta no le entendía, se resentía de boca y se irritaba. En vano intentaba chasquear la lengua y manejar la zurriaga: la descargaba inútilmente de arriba abajo, en vez de sacudirla de través. Y la niñita se le reía.

El agostero se ponía a volver la parva y cogía una horca. Pero también era preciso saber: había que dar dos horcadas a cada paso, preparando el segundo golpe con el primero, para dejar la canal bien recta y limpia. En fin, todo tiene su ciencia en este mundo. El Arsenio no se burlaba de su torpeza. Decía seriamente que aquello no tenía mérito, que sólo era trabajo.

Pero un trabajo bíblico, pensaba el escritor. El Arsenio recolectaba él solo porque su hijo estaba en el servicio y en verano, en el pueblo, no quedan jornaleros. Cierto que vinieron unos peones de Madrid, albañiles de oficio, pero se marcharon diciendo que no querían pan blanco a costa de tantos trabajos. «¡Se creerían —contaba el Arsenio— que el pan blanco no hay más que cogerlo del trigal! Mejor me entiendo —añadía— con mi agostero de ahora.»

Y el labrador se levantaba de noche (cuando no volvía de regar entonces) para ir a segar. Acabó con las cebadas, empezó la «Siega mayor» y tuvo que meterse en eras. Al alba metía la hoz en la mies fresca y con el sol se ponía a acarrear. A media mañana soltaba la parva en rodales y las cañas empezaban a crujir bajo las piedras del trillo. Su mujer le reemplazaba y él tornaba al acarreo. A mediodía comía atosigado y ya se quedaba en la era. El trillo rodaba todo el día y a la tarde empezaban los pedernales del tablero a machacar la mies ya partida. Se levantaba de la parva un tamo impalpable, amarillento, que se amasaba con sudor sobre la faz retostada. Y el sol cargaba las espaldas con un fardo abrasado.

A los pocos días el Arsenio tuvo además que ponerse a aventar, y como los demás iban adelantados y tenían cogida la máquina, él lo hacía al aire, aprovechando el solano. Después fue el ensacar —cuando aún estaba segando—; y acarrear la paja en los argadijos de red; y subir las talegas al granero, con su medio cahiz castellano de grano.

Un trabajo agobiante. El escritor estaba probándolo para describirlo luego, pero estaba seguro de que su obra no daría la sensación de tanto esfuerzo a los lectores ciudadanos. Sólo podría conseguirse produciéndoles los dolores peculiares que el escritor descubría: el que descarga el segar en los riñones, el que ciñe los tobillos del trillador, el que deja en las manos la raspa de la soga, el que origina en los pulgares el manejo de la horca, y las púas de los cardos mezclados con la mies, y el escozor de la piel y de los ojos por el tamo. Dolor esforzado, tenacidad sin resignación ni alarde. «Vamos tirando», contestan en aquella tierra cuando alguien les saluda. Sí, se trata de tirar.

Esto quiso explicarlo el escritor, cuando hubo regresado, a sus amigos del café: seres inteligentes y sensibles. «Ten en cuenta —le replicó un exquisito poeta— que ellos están acostumbrados.» Y reanudó sus alabanzas a un poema.

Sólo al atardecer, cuando venía la chica con la cena, llegaba algún descanso. Había que convencer al Arsenio de que las caballerías estaban cansadas.

«Aún está recia la parva», refunfuñaba metiéndose por la mies y revolviéndola con la horca.

El sol ya se ponía, de un rojo carnal y tierno, entre las nubes y el monte. Los campos de rastrojos hirsutos aparecían, en la luz declinante, como cubiertos de rubio lino. Los hombrecitos que aventaban en otras eras más bajas eran figuras de miniatura medieval, en un libro de horas. Los cerros y cantiles se transformaban en un manso rebaño de colinas, rico de matices bajo el véspero, que escalaba los términos infinitos del horizonte. Se levantaba una fresca brisa nocturna.

Se dirigían todos a la caseta de la era. «La mandó hacer su abuelo que en gloria esté», decía el Arsenio, «Hace... veintidós años. Y no he tenido que tocarla.» El escritor se asomaba a la entrada, renunciando a convencer al Arsenio de que él ya no era el señor de la Casa de Arriba, de que todo estaba vendido y no era nadie. Distinguía en la penumbra la bota, la botija, el cantarito y el cesto de vituallas, ante las piedras de asiento apoyadas en el jastial. Dentro quedaban los aparejos, las horcas, las escobillas, las violas para la paja, los líos de segador: hoz, dedil, zoqueta y palo de atar, envueltos en el mandil.

Comían despacio. El agostero ni siquiera sabía usar el gañivete para cortar el pan. «Los chorizos están resecos —decía la Justina— porque a falta de aceite los guardé en harina.» «Tú a todo le encuentras peros, mujer —replicaba el Arsenio—. Deja, que hay buena gana.»

Fluía de la bota en las fauces abiertas, un vino espeso y áspero, sabroso a uva y a hollejo, que tanto más place cuanto más se cata. El Arsenio lo bebía con veneración. «Éste es de aquella viña —señalaba—, de la de aquel morrón que se ve lejos. Tan en lo alto no se hielan, no.» Y, preguntando por el escritor, hablaba de la paciencia con las viñas. Un año, que se plantan; otro, que no valen; el tercero, que se injertan; el cuarto, que enveran pero son agraces; el quinto, que dan cosecha. Siempre trabajo.

Y la palabra «trabajo» tenía en aquella hora, en aquel descanso, y en aquel hombre, un valor singular, de recién inventada. El mismo sabor recio y confortante del vino.

Las hacinas recortadas contra el cielo eran torres de oro, y sus fajos, los sillares. Contemplándolas, el Arsenio evocaba el tempero de aquel año: el tizón, la neguilla, las nieblas, el pedrisco, la tormenta... «Donde cayó poca simiente la espiga es gorda, y flaca donde hubo mucha. Si el trigo clarea, unos días se siegan dieciséis fajos; otros, cuarenta. Hay que tener mano.»

La Justina sacó un tomate, que relucía muy hermoso, diciendo: «Es el primero de casa en este año.» «He de probarlo», exclamó en seguida el Arsenio, tomando la calabacita de la sal. «Éste no es como los que se compran a los verduleros, tan machucados y blandos —continuó—. Ésos maduran artificial, a pura fuerza; mientras que los nuestros maduran a su tiempo, cuando ellos quieren.» El escritor se quedó meditativo.

Después cambiaban a la yunta las trilladeras por el yugo, amontonaban la parva con la curva rastra, y apuraban la recogida con los rastros. Las mujeres tomaron las escobillas para limpiar y el agostero también quiso hacerlo, pero el Arsenio le detuvo: «Déjelo, no haga eso: no parece bien en usted».

Vuelto así a su dignidad, el agostero se retiró un trecho por el barranco y se tendió en un ribazo. «Madurar a su tiempo», pensaba, repetía. El primer lucero, muy alto sobre el polvo y solitario en el inmenso cielo, era un puntito trémulo, que a veces parpadeaba.

En tanto contemplaba, el escritor sentía sobre sí su cuerpo todo entero, salvado del olvido. Poseía plenamente el magnífico ritmo de su sangre y, por encima, cada uno de sus músculos, hasta el más pequeño, revelado por la fatiga.

También en la enfermedad, pensó, se siente la carne. Sí, pero desordenadamente, con fragmentos hipertrofiados; y siempre con sopor del espíritu. Nada semejante a la plenitud que gozaba, a aquella existencia de alma y de cuerpo, a aquella cumbre de cansancio y ánimo, a aquella sensación de estío.

1947

Una visita

Su llegada a medianoche nos sobresaltó, haciéndonos pensar en un telegrama. La criada no les dejaba pasar, pero reconocimos las voces desde nuestro cuarto. Ella fue la primera sirvienta que tuvo María en el pueblo cuando nos casamos, y él había sido mozo de labor en casa. María se levantó para recibirlos y le oí preguntar lo que sucedía. Hubo un silencio. La Urbana hipó:

—Ay, señorita; la Anita. Que no sabemos si estará presa o *afusilá*.

Cuando volvió mi mujer a acostarse cambiamos impresiones.

Anita se puso a servir en la capital hacía dos años. Recomendada a nosotros —María era su madrina— venía a casa todos los domingos hasta que sus visitas empezaron a espaciarse y, al fin, cesaron. Cuando volvió parecía otra: más desenvuelta, sin aire pueblerino, consciente de sus atractivos y capaz de sacarles partido. Le contó a mi mujer que libraba los miércoles y que estaba colocada en un café, en mejores condiciones. María la sermoneó —es incansable cuando empieza— previniéndola contra los peligros de la ciudad y todas esas cosas.

Cuando supimos que se había metido de camarera en el *Singapur* escribimos a sus padres. Era en pleno verano y el Gregorio no pudo dejar la recolección, pero su mujer nos pidió que por Dios mirásemos por la Anita, pues sólo nos tenía a nosotros. Ya antes de la vendimia vino el padre y la trajo a casa, ordenándole que nos obedeciese como a él mismo, pues de lo contrario, la mataría a palos. No comprendía que esto era ya psicológicamente imposible, pero yo lo leí claramente en los ojos de la muchacha. Quizás ella misma, en aquel momento, lo ignorase todavía.

Desde entonces vino a casa con cierta regularidad. Estaba colocada de doncella y su aspecto era más modosito, pero menos convincente cada vez, como si se caracterizase. El último día sentí tan vivamente su doblez que me molestó que besara a mi mujer como de costumbre. Luego me confesó María que también a ella le desagradaba, y desde hacía ya tiempo. No me extraña que lo notase antes, porque es menos ingenua que yo.

Y ahora los padres se presentaban en la ciudad porque habían enviado un poco de matapuerco a la Anita y el recadero lo había devuelto diciendo que la muchacha estaba en la cárcel.

Cuando por la mañana me levanté, encontré al Gregorio en la silla de la cocina, con su tapabocas puesto. Según supe, estaba levantado desde antes de las cinco. Le prometí que haríamos inmediatamente las gestiones precisas pero, aunque estoy seguro de que me lo agradeció en el alma, no dio muestra ninguna de ello.

En la comisaría me informaron que se trataba del robo de un reloj al dueño de la casa en que servía la Anita: el Comandante Silvela. Fuimos a verle —en esta ciudad todos nos conocemos un poco— y aunque la cosa no estaba clara para la muchacha, por sus antecedentes y por las sospechas que recaían sobre su novio o amigo, el amo se avino a retirar la demanda. El Gregorio, que me acompañaba como insensible y sumido en una extraordinaria torpeza (¡tan ágil como era en el campo!), tampoco pareció afectarse. Yo no sé de qué manera influía en ellos la ciudad; debían de sentirse acorralados. Hasta a la Urbana, que se ofreció para hacer la compra, la engañaron en la fruta.

Al saber que la Anita saldría por la tarde, su madre me abrazó llorando. Gregorio no pudo probar bocado ni ingerir el café con leche que le hicimos servir. De repente, se le saltaron dos únicas lágrimas, y se quedó con ellas en las mejillas, mirándonos furioso. Sólo al cabo de un rato se las limpió con el dorso de la mano.

La tarde transcurrió en violento silencio y frases forzadas. Anocheció sin que Anita llegase. A nuestra pregunta telefónica contestaron que la habían soltado a las cuatro. Yo pensaba en salir a buscarla, cuando por fin llamó a la puerta.

Venía muy compuesta y llamativa, trayendo dos preciosos maletines. El tener que ir a recogerlos —explicó— la había retrasado un poco. Sentí que no era suficiente. Mientras tanto, el silencio de Gregorio, inmóvil en su sillón, impedía a la Urbana besuquear a su hija. Se conformaba con repetir:

—Pero muchacha, pero muchacha. ¿Qué ha sido?

Hasta que la Anita, harta, replicó:

—¿Pues qué ha de ser? ¡Que como no hice nada me han *soltao*!

No quise discutir.

El Gregorio tampoco cenó. Sólo bebió una taza de manzanilla que le hizo mi mujer, a la vez compasiva y temerosa de que se pusiera malo en casa. La Urbana decía:

—Este hombre mío se come las penas.

Ni siquiera le propusimos a nuestra criada que

durmiera la Anita con ella. Se le preparó un colchón sobre la alfombra del gabinete, comunicado a la italiana con la alcoba en que dormían sus padres.

Les estábamos oyendo acostarse cuando de repente rugió el Gregorio:

—¡Urbana! ¡Dile a tu hija que apague antes la luz, por lo menos!

Aquella voz de macho... Me incorporé alarmado, dispuesto a intervenir. Pero todo quedó en paz.

Al día siguiente, la Urbana habló con María. Al Gregorio «no le rompía el vientre» y se iba a poner mucho malo. Mi mujer ofreció un médico, pero ella prefirió preparar unas irrigaciones con jabón, en cantidad propia para una caballería.

Mientras tanto, la Anita salió sola, y no volvió hasta la hora de comer. A la tarde pretendió hacer lo mismo, pero el Gregorio se levantó de la silla de la cocina, donde estaba siempre liado en su tapabocas, y ordenó a la Urbana que la acompañase.

Después hemos sabido —la portera se lo contó a la del segundo, y ésta a nosotros— que la hija se empeñó en salir sola, y lo consiguió tras una discusión con su madre en el portal. La Urbana se quedó en la escalera, sentada en el rellano de arriba para no ser vista si salíamos, y allí pasó la tarde entera, esperando a su hija para entrar con ella. La Anita regresó acompañada por la otra criada de la casa del robo, quien tenía un aspecto tan poco recomendable que nuestra ahijada desistió de su evidente propósito de presentárnosla, y se la llevó a la cocina.

Pero al ir a cenar, la Anita tuvo la desfachatez de proponer que su amiga durmiese con ella, porque también acababa de «salir» y no tenía adónde ir. Mi mujer no pudo más y, tras de mirar al Gregorio con sentimiento, dijo:

—Mira, Anita, tú estás en esta casa por tus padres y porque, a fin de cuentas, te he sacado de pila. Pero la otra, no.

—Pues donde no entra mi amiga, yo tampoco, señorita. Conque a la posada me marcho —dijo a sus padres.

Éstos no respondieron. Las oímos salir y empezamos a cenar en silencio.

A la mañana siguiente, marido y mujer se levantaron muy temprano. La Urbana preparó las alforjas y, como todos los días, hizo su cama, limpió el cuarto, y dejó recogido el colchón de su hija.

Cuando supimos que nos esperaban para despedirse, salimos a medio vestir. La pobre madre abrazó a María, reprimiendo el llanto: la infeliz no sabía ni lo que iban a hacer. El Gregorio evitó mirarme cuando le di la mano y me preguntó si mandaba algo. Y la puerta se cerró tras la visita.

1947

El buen pan

No ha llovido desde la tronada de abril. El azud
está seco y el río se ha enquistado en un rosario de
charcos. Dicen que «el solano, agua en mano», pero
si a los tres días no llueve, es para ponerse el año
malo. Y eso sucedió en mayo.

Desde el cerro, la vega aparece como agostiza. Paseando por los huertos se ve lo mustio de las pavona-
das coles, el polvo de las remolachas, lo lacio de las
patatas, la pérdida de las judías, la cortedad de los
cáñamos que sólo podrán venderse para estopas.
Hay que repartir el agua, y cuando les llega el ajar-
be, los hombres bajan de noche a regar para no perder el turno. Como están rendidos de trabajo, se
duermen en el ribazo, pero les despierta el tenue
«glu-glu» del agua que baja por el caz. Le abren
paso e inunda los tablares, sigilosa, negra y fría.
Ellos deleitan sus pies descalzos en la gustosa fres-
cura del barro. Pero al día siguiente ya está otra vez
la tierra hecha una costra resquebrajada, que se pul-
veriza poco a poco.

Al menos, la mies «aún no está mala». Dicen que
va a llover, que lo ha predicho el *curiel* de Deza, por-

que ha visto en el cielo las «cabañuelas», unas nubes que él conoce. Pero a estos dichos replica el socarrón de Fidel: «Cuando la perdiz canta, barrunta nieve; no hay mejor señal de agua que cuando llueve». Otros tienen fe. ¡Quién sabe!

Pocas trasnochadas se hacen en las cocinas, porque, entrada ya la siega, se alza el tiempo más duro en la rueda del año. Aun así, siempre suben algunos a la Casa de Arriba, donde, en esta época, sólo arde un ascua mansa ante el trasfuego, más para alegrar los ojos que los miembros. Se habla poco, todos andan abatidos. Sólo el Fidel sigue siendo el mismo. Tiene tantos años, que ha conocido los tiempos en que de San Juan a San Juan ganaba cuarenta reales, un traje, el producto de la oveja zagala y la *manutención,* de cuyo pan le daba al perro.

Se evoca la filoxera: «Me acuerdo —yo era muy joven— de que llevé a los señores a merendar al barranco del acerolo. Don Sebastián, que miraba con el largavista hacia Bordalba, vio a la nube de filoxera caer en las viñas del Regatillo. Yo mismo tuve después que arrancar las cepas».

Se recuerda el cólera. Siempre en año terminado en cinco: 1835, 1855, 1885. Este último, el hambre fue terrible. De la parte de la sierra, ¡cuántos pueblos no se desolaron, entre muertos y emigrantes! El Fidel se estuvo muchos días en el monte, porque el ganado tenía marcada raya, a causa de la epidemia de patera. Murieron muchas ovejas antes del esquilo, una sequía pertinaz agostó la vega y el grano viejo se terminó. Así es que, aunque el trigo del año encañaba a ojos vistas, la gente estaba con los trojes vacíos. Ni siquiera cebada, por lo que las caballerías se ponían flacas, tristes, diñosas.

Reunióse el Concejo y subió una delegación a la Casa de Arriba buscando remedio. Don Sebastián, con dolorosa gravedad, les condujo al granero: sólo un montecillo de grano para la casa, más pequeño aún a la luz vacilante del candil. Ahora bien, como todos sabían, don Sebastián poseía la tierra más temprana del pueblo: La Hoya de la Fuente, donde precisamente había sembrado aquel año una simiente extranjera. Si las calores seguían recias, perduraba el regañón y los trigos tomaban color sin novedad, estaría en sazón dos semanas antes que la primera del pueblo. Teniendo en cuenta esto, cedía la cosecha al Concejo, para que todos se remediasen antes.

Con lo que las gentes empezaron a dar en hablar de su sembrado, y las mozas a mirarlo de vuelta de la fuente, mientras escuchaban a sus festejadores. Los niños apedreaban a los pájaros que picoteaban el grano. A veces un hombre cortaba una espiga al pasar por la linde y la deshacía en su mano. Era una de grano abundante, pero más pequeño y recio que el candeal. Sabía bueno, aun en verde; centeneaba poco y a veces tenía neguilla.

Una tarde, los niños que guerrilleaban en las eras vieron venir al señor de Arriba con el Alcalde. Don Sebastián llevaba su bastón-estoque, recordado, sin duda, por todos los que me escuchan: alguno, que ya es hombre, se lo habrá llevado alguna vez, cuando se le olvidaba en casa. Ambos se detuvieron en la linde; tantearon los tallos, discutieron... aquello aguantaba ya la hoz.

Al alba siguiente, los vecinos cercaron La Hoya y se entraron en ella. Algunos se reservaron para acarrear, ayudados por los espigadores; otros previnieron tres eras juntas, echaron las trilladeras a las caballerías y engancharon los trillos. Pronto se cubrió un rodal de mies, y empezaron. Estaba el trigo todavía fresco, pero no se podía esperar. Los chiquillos enredaban en todas partes, eran felices, daban volteretas en la parva. Al Cañete le coceó la cabeza una mula de su padre... (el hombrachón tuvo que quitarse la boina y mostrar el costurón a la luz de la lumbre).

A media mañana se presentó don Sebastián, con su levita negra. Llevaba debajo aquel chaleco de fantasía que gastaba: marrón, con un dibujo de golondrinicas encarnadas.

Por la tarde se puso buen aire y aventaron (entonces no había máquinas). Al salir de la luna las mujeres empezaban a cerner y antes de medianoche ya pudo salir una recua muy adornada, con las primeras talegas para el molino de Deza. Hasta tenían que traer levadura, que se había terminado.

Regresaron de madrugada: el pueblo, con antorchas, esperaba en triunfo allá en la Cruz de Albalate. El humo y el resplandor del incendio, entrando por los ventanos, asustaba a los viejos acostados. Nadie se preocupaba del reguerito blanco que por un roto se perdía.

Mientras tanto, las mujeres habían limpiado las artesas, escobillado los hornos, fregado las tablas, dispuesto las palas y los lienzos, prendido la leña. Los muchachos aportaban aliagas y chaparro. Se amasó a la luz de los candiles. Los hombres charlaban, felices, en la plaza y chupeteaban los cigarros. A los que subieron a Deza, el molinero les había contado esto y lo otro. El cielo esclarecía.

A la mañana ya hubo pan reciente. No se olvidaron del señor de Arriba: le ofrecieron la mejor hogaza, amasada por la propia Agustina, buena sacadora de pan. Ahora, su hija, no lo hace lo mismo, ¡qué va!

Don Sebastián les hizo pasar a la sala, invitándoles a almorzar con él. Mientras le servían, ponderó la hogaza, y se habló, parsimoniosamente, de lo que es el buen pan. Si tiene poco reciente o levadura, cuesta de amasar y sale tonto. Pero peor es cuando tiene exceso, porque sabe ácido. Lo más importante son los buenos suelos del horno. El buen pan sale alabeado y retostadito, con algunos bollos muy oscuros, pero sin quemar; con los cortes de encima como abriéndose todavía: anchos profundos y blancos en lo hondo. La corteza es crujiente y tierna.

Sirvieron el almuerzo, y el Señor partió la hogaza con su cuchillo de plata.

Pero no olvidó el Alcalde, con la venia, asomarse al balcón para que lo vieran los de la plaza. Sólo entonces empezaron en las casas a probar el pan. Aunque quizá algún chiquillo pellizcase un cantero: eso es inevitable.

—También dijeron que la agoniosa de la Rufina lo había comido antes —concluye, socarrón, el Fidel.

—Las malas lenguas —chilla la vieja desde su escaño—, que hay muchas en este pueblo. ¿Cómo quieres que lo hiciera, habiéndome criado, como me he criado, en esta casa? ¡Era don Sebastián un caballero muy principal; era un señor muy señoreado! Como ya no los hay, con perdón de su hijo, aquí presente. Algunos dicen, ¡vaya, que yo lo tengo oído!, que en aquella mañana hasta cogió la hoz, ¡sí, señor!

1947

Tormenta en el campo

Bajaban los tres por el barranco de las Viñas. Soplaba tornadizo bochorno; picaba el sol. Entonces vieron venir por el sendero un remolino de polvo como un fantasma. Les cegó en su ardor sofocante y se alejó. Cuando abrieron los ojos, el campo ya era otro: las aves, mudas; la vega, reseca; el sol, rojo. Y se miraron abatidos.

Ya estaba aquí. El cierzo había saltado ayer a solano y toda la noche estuvo nuestra chimenea revocando el humo, que es seguro. La gata andaba erizada, los pájaros rastreaban. La gente suspendió su actividad: apenas se atrevieron a echar parva en las eras y pocas mujeres salieron a lavar. El calor fue sofocante. «¿Rafaela, qué te parece esto?» «No sé, no sé; el aire lo hará todo. Pero mala cara tiene.» Y el aire no se movió de allá del Moncayo, donde cuajan las peores. Después de comer, como puestas de acuerdo, las gentes se prepararon, silenciosas y graves. Las mujeres entraron la colada, en las eras recogieron la parva, y, antes que nada, las ovejas, que se veían en el lejano rastrojo como cardenchas en chaqueta de pastor, empezaron a descender del monte.

Y ahora ya está aquí. Los tres aprietan el paso, como los segadores, los trilladores y los que acarreaban; todos por senderitos buscando albergue. Andan mirando a lo alto, a la nube que se cuaja en el cielo presagiando males como la gota de plomo en el agua de los adivinos.

Las mujeres aguardan en las puertas. «¿Ves tú esa nube? Pues aún, si cambiara el viento...» «¡Ay, madre, los cogerá en "El Cascajar"! «Ya le dije al Evaristo que se llevara el tapabocas.»

Está encima. Primero velaba el sol, ahora lo ciega. En cambio, allá a lo lejos, en el confín del término, la luz penetra por un desgarrón azul y comunica a los cerros una bella plasticidad. Es una luz atlántica, delicada y poética, como un fondo de tabla primitiva. Allí ya están a salvo. Pero sobre nosotros el cielo es un espeso amasijo plomizo con monstruosos flecos y rebabas vedijosas.

Las mujeres ya no parlotean. Todo se les vuelve «¡Jesús!» y más «¡Jesús!». Los hombres no jesusean, pero tienen pintado el miedo en sus rostros de palo. «Aun si no se agarrase en La Muela», murmuran mirando el picacho más alto del contorno. «Por ahora está muy quieta.»

Sí, hasta entonces estuvo inmóvil; tanto, que encogía el ánimo. Tocó el pico, hizo un esfuerzo para virar y en el gigantesco intento se desgarró. Fue un espantoso trueno seco. Pareció que rodaba un monte por la barranca de otro. «Ésta que sí es mala», pensaron todos, y empezaron a atrancar puertas y ventanas.

Hasta el último de los alcores que gozaba cielo azul se ha vuelto gris. Ladran perros a los constantes tronidos, pero acaban por callar y acobardarse en un rincón. Se respira el excitante ozono. Las gotas empiezan a matar el polvo. Los resecos adobes de las tapias se ponen, al mojarse, morenos y cordiales, como si quisieran ser más buenecitos con los niños que trepan, como si ya no pinchasen las aliagas de sus bardas.

Aunque la tormenta retumba más en la casa de arriba por las vastas cuadras y los amplios aposentos, allá va a resguardarse la pollada de vecinas. «No os quedéis al aire de tormenta —les dice la señora—, que produce enfermedades y es muy malo.» Se enciende a santa Bárbara un cirio de Jueves Santo y se meten todas en la sala a rezar un trisagio. En cambio, en la cocina, el Lucas blasfema desaforadamente a cada trueno. Su madre, la lavandera, interrumpe el rezo para ir a acallarle: «Anda, bruto. ¿Es que así deshaces la tronada? Bestia. ¡Mira que ponerte contra quien las manda!»

El agua chorrea espantosamente. El año pasado las peñas arrastradas cortaron la carretera. Empieza a entrar en las habitaciones por las rendijas de los ventanos. Hace frío. No se distingue la vega, y apenas si se logran ver, grises, las casas próximas tras el cerradísimo azote. El aire aventa los raudales de la canal y dispersa los flecos de agua en turbiones como vapores blanquecinos. Se forman charcos en el suelo alabeado de los aposentos. ¡Mientras no caiga piedra!

¡Ahora sí que truena! Ya los relámpagos no son claridades vívidas, sino árboles de fuego, de corpulentos troncos y ramas perfiladas sobre el cielo. La Crispina recuerda que una exhalación así mató a un pastor en el camino de Bordalba. Y súbitamente rompe a caer pedrisco, rebotando estrepitosamente. Los campos, las bestias y los hombres se quedan anonadados en esos minutos en que todo el espacio está lleno de ira del cielo. Eso le atribuimos nosotros, pobres figuritas; pero allá arriba es sólo un indiferente juego de la nube. Las mujeres, amedrentadas, pasan al último cuarto, donde no oyen sino el redoble del granizo y el bramar del torrente que llena la calle: aguas terrosas, espumas turbias y enco-rajinadas. Va dejando de sentirse frío.

La lluvia amaina. La señora se asoma. Se ha puesto el cielo todo gris parejo, ya sin amenaza de temporal de agua. Se atreve un gorrión. Vuelven a zumbar las moscas. Suena el toc-toc de las goteras del granero. «La casa está hecha un fuego.» Se abre un ventano. «Pues como el calor no amaine, volverá.»

Se empieza a ver. Primero, sólo color. Después, un poco de luz. Decrece el torrente. Más luz. Sobre una era refulge, llamativo como un timbal, el techo de cinc del cobertizo de la aventadora. Cae cada gota distintamente. Cuando cesan, el aire es transparente y huele a tierra empapada. En el cielo, en parte azul, aún relampaguea, verde y violeta, un rezago de tormenta.

Grupos de hombres cruzan apresurados el puente camino de los sembrados. Otros van a las eras para secar la parva y que no se pudra el grano. Y aun, dentro de unos días, las mujeres habrán de limpiar el solar, arrancando a rompeúñas los triguillos nacidos.

Mas ahora todas siguen ansiosas, desde los ventanucos del pueblo entero, a los que van por la vega. Los grupos se deshacen en las encrucijadas, los hombres se dispersan por las veredas. Cada figurita humana se detiene ante sus judías, o sus remolachas, o sus cáñamos; se mete por los surcos, se detiene al pie de los prometedores manzanos, perales, ciruelos...

Las nubes se desflecan, se desvedijan, se deshacen. Va apareciendo un cielo con una vívida raya amarilla y una diluida tonalidad violeta. Pues, infinitamente lejos de la tronada, la tarde se reclina con su divina calma. En el monte relucen los senderos mojados. Todavía se escucha un trueno a distancia. La luz es dulce; las campanas tocan despacio a vísperas.

En ese instante, cada mujer mira a un hombrecito remoto. El padre, el marido, el hijo han acariciado un momento la sembradura con su mano rugosa, han levantado con insospechada delicadeza un copete de cáñamo abatido, una rama frutal destrozada, un pie de remolacha vapuleado... Y las mujeres les ven quedar muy quietos, con los brazos caídos. Y en seguida reaccionar, correr a otra mata, a otro peral... Y volver a pararse, a bajar las cabezas, a desanimar los brazos...

Puebla el cielo un rebaño de apacibles nubes blancas, que, al aparecer debajo el sol a punto de ponerse, se tornan pinceladas de fuego. El cielo es todo rosa. Muy encendido crepúsculo; viento para mañana. «Se podrá aventar bien», piensan los que regresan despacio por los enrevesados caminitos de la vega.

1947

Gregorio Martín

El padre de Gregorio Martín fue pastor en Corraleda hasta que la edad y el reumatismo le obligaron a abandonar el trabajo. Desde entonces vivía en el pueblo, en una casa de adobes muy pobre, del barrio alto, en la que se pasaba los días casi inmóvil, sentado a la puerta en una banqueta. Gregorio pasó su niñez en el monte con los pastores, y cuando su padre no pudo valerse, se colocó en Hontanar de mozo de labor en casa del Nicasio.

Era un mozo alto, muy delgado y parecía débil. Siempre estaba callado, pero no era hosco, y le gustaba hacer favores. Tenía una voz de bajo, muy gruesa, que chocaba con su aspecto y parecía pertenecer a un hombre más fornido. En las veladas de las noches de invierno, mientras el amo comía en una mesa volandera y toda su servidumbre charlaba, las mozas miraban a Gregorio y le encontraban interesante. Sin embargo, preferían retozar con los otros mozos, que las gastaban bromas muy fuertes y gustaban de hacer barbaridades que ellas recibían poniéndose muy coloradas y soltando grandes risotadas. Gregorio no parecía lamentar este alejamiento. Lo que más le gustaba era silbar los aires de su infancia que había aprendido en el monte entre los pastores. También amaba estar inmóvil. Los domingos por la tarde salía del pueblo y se tendía en algún ribazo colocando la chaqueta de pana debajo de su cabeza. Así pasaba las tardes, contemplando las nubes por entre las ramas de los árboles. Sabía tallar figuritas de madera muy lindas y las regalaba a las niñas del ama, que le querían mucho.

De vez en cuando, los amos le daban permiso para subir a su casa en Corraleda. Él iba a gusto por ver a su madre y su hermana. Con su padre no se entendía bien. A éste le disgustaba que su hijo fuese jornalero: despreciaba a todos cuantos no fuesen pastores. En sus conversaciones con el Quico, otro viejo pastor, convenían en considerar como un traidor al nacido en tierra alta que no fuese pastor y prefiriese bajar al llano a trabajar como jornalero. El Quico tenía fama de adivinar el porvenir, y era muy hábil en la predicción del tiempo, que anunciaba empleando palabras de su invención. Del oficio de pastor solía decir que era muy duro y daba poco, pero que no había otro como él en la tierra. Y los dos se pasaban el día entero a la puerta de la casucha.

La madre de Gregorio era una mujer alta, huesuda, siempre de negro y con pañuelo a la cabeza. Tenía unas manos grandes y fuertes, que contrastaban con su voz suave y sus ademanes dulces. Todo el día estaba trabajando en la casa, yendo por agua a la fuente, haciendo cestas de mimbre, lavando ropa de otras casas en el río. De joven fue muy guapa, y en el pueblo se aseguró que aprovechaba de mala manera las ausencias de su marido, que subía a la sierra todos los veranos. Tanto creció el rumor, que el cura pronunció un sermón contra la murmuración, pero extendiéndose sobre los que eran motivo de escándalo en frases llenas de alusiones. Por fin el viejo pastor se enteró, bajó del monte y dio a su mujer una paliza bárbara, echándola de casa. Al día siguiente, dejó a su hija María, que era todavía muy pequeña en casa de una vecina, y se llevó a su hijo Gregorio al monte. Allí dijo a los demás pastores que su mujer era mala pero que sus hijos eran sus hijos.

La Marijuana, su mujer, comenzó a vagar por los pueblos cercanos, llevando una vida dura, haciendo toda clase de trabajos, durmiendo y comiendo de cualquier manera. Nunca pidió limosna, y siempre preguntaba con gran interés por su marido y sus hijos. Desde entonces, la gente simpatizó con ella y todos empezaron a decir que lo pasado era lo pasado y que ahora, a pesar de su vida irregular, era una mujer honesta. Un día se enteró que su marido estaba impedido, y no volvería a subir al monte. A los cuatro días apareció en el pueblo. La gente la vio escalar la colina y acercarse a la casa en el momento en que el viejo arrastraba penosamente una banqueta a la calle para sentarse en ella. Marijuana cogió la banqueta, la puso a la puerta y se arrodilló para calzarla con unos cantos. Luego ayudó a su marido, que había quedado inmóvil mirándola, a sentarse, y le rodeó las piernas con su vieja manta, llena de agujeros. Ninguno de los dos dijo nada. Al viejo se le acentuó el temblor de las manos al sacar la yesca y encender el cigarrillo trabajosamente. La mujer entró en la casa y vio a su hija que cogía un cántaro para ir a la fuente. La besó y le dijo de irse a jugar. Ella se puso el cántaro a la cadera rodeándolo con un brazo y descendió la colina. La niña, que se había quedado asustada al ver a su madre, no se atrevió a ir a jugar y se asomó a la puerta viendo cómo se dirigía al pueblo.

Cuando Gregorio volvió del monte se encontró a la mujer en casa. Aunque sabía confusamente cuanto se había dicho de su madre, se alegró de verla. La Marijuana tenía para sus hijos suavidades inesperadas, aunque no gustase de prodigarlas. En esta ocasión se limitó a besar a Gregorio, pero cuando el padre no pudo verlos, lo cogió con sus grandes manos, y lo apretó contra su pecho, silenciosamente. A Gregorio se le llenaron los ojos de lágrimas.

El cura nuevo, un hombre joven, pronunció el domingo un largo sermón sobre la vuelta del hijo pródigo lleno de simpatía hacia la oveja que volvía al redil y lleno de citas y metáforas que nadie entendió. Desde entonces, la gente del pueblo, encargaba a Marijuana mucho lavado de ropa y cestos y cuévanos, favoreciéndola cuanto podían.

Gregorio, en sus ratos de descanso, gustaba de recordar a su hermana María. Tenía por ella un suave y gran cariño, un sentimiento muy claro, al que gustaba entregarse; un sentimiento distinto de otros afectos familiares en los que había algo que no comprendía bien. El recuerdo de la madre carecía de los dulces incidentes que llenan las vidas infantiles y por eso el chico intensificaba la relación con la hermana. La veía esperarle a la vuelta de los pastos. Él la llevaba figuritas de madera, flores y a veces pájaros. Le parecía que ejercía sobre ella una cierta protección y este sentimiento le consolaba. La hermana le tenía un gran cariño y para él, en quien las vidas ajenas influían muy poco, era agradable saber que significaba tanto en otra vida.

Un otoño cayó un gran aguacero que desbordó el río y se llevó una cerca. Durante algunos días las aguas turbias, de color rojizo, cubrieron el ojo del puente y arrastraron ramas y maderas que aparecían y desaparecían entre los remolinos.

Durante la tempestad Gregorio estaba en el campo, de donde volvió empapado en agua. A la noche sintió fiebre, y tuvo que acostarse. Al día siguiente tenía mucha temperatura y no se pudo levantar. Se llamó a don César, que lo examinó bien, y mandó a

Fontilla por unas medicinas, sin decir qué era lo que tenía. Sin embargo no ocultó que era serio y que no estaría de más avisar a la familia.

El ama lo sintió mucho y envió un propio a casa de Gregorio, a pesar de que no le agradaba el que viniese la Marijuana. Temía que la viesen sus hijas.

Aquella misma noche llegó la madre de Gregorio, que silenciosa como siempre, entró en la alcoba del enfermo y se sentó en su cabecera. Allí permaneció, mirando foscamente a cuantos entraban en el cuarto. El propio, que la había acompañado, se quedó en la cocina, calentándose en la chimenea, y contando a todos que el viejo no podía venir y la niña había quedado encargada de cuidarle. La pequeña —afirmaba— había llorado mucho y el padre, por su parte comentó que aquello no habría pasado si hubiese sido pastor.

A la madrugada, Gregorio se durmió, y la madre, que no había querido que nadie la reemplazase, permaneció despierta mirando fijamente la débil luz que entraba por las contraventanas. Así la encontró el ama cuando llegó a traer el desayuno. Al ofrecérselo sintió cómo la más pequeña de sus hijas asomaba la cabeza por la puerta para preguntar por Gregorio. Marijuana se levantó, miró un momento al ama, y le dio las gracias por todo. Las prevenciones de ésta desaparecieron y se ofreció a cuidar al enfermo mientras la madre descansaba.

Gregorio estuvo a punto de morir, y durante muchos días don César entró en la casa mañana y tarde. Al fin fue reponiéndose lentamente tardando aún mes y medio en poder levantarse, sin que en ese tiempo la Marijuana saliese de la casa, dejando a su hijo tan sólo para trabajar en la cocina, el corral o en el horno. También hizo los nuevos cuévanos para la vendimia y repasó los viejos, sirviendo de mucho descanso al ama, que tenía gran confianza en ella. La pequeña María vino algunas veces trayendo recados del viejo, y regalos que éste mandaba al hijo, como un hueso de cordera cental del Quico, para que mejorase su enfermedad poniéndolo bajo la almohada y un cuchillito con mango de cuerno del que el padre no se había separado nunca. También mandaba tortas de las que hacían en el monte los pastores, pero como el Gregorio no las podía comer todavía, se repartieron a los otros mozos, que las encontraron muy duras y desabridas.

Por fin Gregorio se levantó. Apenas podía andar. Había quedado mucho más delgado y pálido. Sobre todo sus manos eran extrañas y parecían algo monstruoso: tan delgadas, finas y transparentes, y al mismo tiempo, llenas de callos que la inactividad no había podido borrar.

La madre se marchó al día siguiente, y dijo al ama que no podía pagarle pero que cuando la quisiese para algo volvería. El ama la besó antes de que montara en la caballería. Al día siguiente vino la hermana, que permaneció cinco días, haciéndose muy amiga de las niñas de la casa. Al poco tiempo, Gregorio volvió al trabajo. De la enfermedad sólo le quedó una tosecilla pertinaz y seca, pero que no le molestaba. Por otra parte —decían todos— nunca había sido muy fuerte, y bastante suerte era haber salido de aquella.

Llegó el verano. Se doraron los trigos y empezó la siega. Los segadores salían muy temprano. Al llegar al trigal empezaban a trabajar, hasta medio día, que llegaba una criada de la casa, llevando en un burro la comida para todos. Poco a poco, los mozos iban dejando atrás el rastrojo y devorando a grandes bocados el tapiz de mies como un gigantesco gusano. Detrás de ellos, iban quedando las gavillas en pequeños montones. Por la tarde las cargaban en los carros y las llevaban a la era, donde otros mozos las trillaban y aventaban, cantando y retozando con las mozas, que saltaban a veces al trillo y se paseaban en él, dando vueltas sobre la parva dorada. Los cascabeles de las mulas, los gritos de los segadores y las vueltas y vueltas sin cesar del trillo, que levantaba un rastro de polvo dorado, la luz del sol, se subían a las cabezas como un vino fuerte. Los trilladores agarraban a las mozas por la cintura y éstas, encendidas, se desasían entre risas y gritos. Al anochecer a la luz de las primeras estrellas, volvían todos por el camino en cuesta, llegando al pueblo ya de noche.

Uno de los últimos días de siega, Gregorio sintió la tosecilla que no le había abandonado desde su enfermedad, y en seguida, algo cálido y viscoso en la boca. Escupió y vio en tierra, una mancha rojiza, como una amapola. Enrojeció súbitamente y con el pie enterró y pisoteó la mancha. Le temblaba la mano cuando volvió a empuñar la hoz y estuvo a punto de cortarse. Sin saber por qué, le parecía que aquello era un crimen contra el cielo azul y el sol resplandeciente, algo nefando que había que ocultar, y que le separaba de todos.

Al reanudar el trabajo, al sentir el peso del sol en sus espaldas bañadas de sudor, y las asperezas de los tallos en sus manos, le pareció que el incidente sólo había sido un mal sueño y le quitó importancia. Sin embargo, cuando la bota de vino en la ronda llegó a sus manos, la pasó al compañero sin beber. Desde aquel día llevó siempre un gran pañuelo de hierbas que cada vez necesitaba con más frecuencia. Él mismo lo lavaba en el río en sus solitarios paseos del atardecer; y nadie advirtió su problema. Quizá le gustaba más que antes estar solo. Y al ama le pareció que Gregorio ya no jugaba tanto con sus hijas y empezó a preocuparse. Decidió consultar a don César y éste recomendó unos días de descanso en el hospital de Soria. Gregorio palideció al oír el consejo. El amo prometió hablar con el alcalde que tenía un amigo en la diputación y no le sería difícil conseguir una cama. Gregorio con la boina en la mano escuchaba sin poder contestar. Ellos lo harían con gusto —prosiguió el ama— porque le tenían ley. Mientras tanto, lo mejor era que marchase a su casa, donde le pagarían el jornal mientras lo admitían en el hospital. Tenía que animarse, qué leñe, y al poco tiempo volvería otra vez fuerte y valiente y se casaría con una buena moza.

Gregorio marchó a su casa sin aceptar su jornal. Al llegar lo contó todo. María se le quedó mirando con unos ojos muy abiertos. El viejo refunfuñó por lo bajo. La madre permaneció en silencio. Pero aquella noche se levantó tres veces a escuchar la respiración de su hijo, inclinada sobre su cama.

A los pocos días llegó el aviso de su admisión en el hospital y Gregorio marchó a Soria.

Pasado un mes, le dijeron en el hospital que no podía permanecer más tiempo allí. Le aseguraron que estaba mejor y que podía volver a trabajar. Él se encontraba más grueso y escupía sangre con menos frecuencia. Creyó lo que le decían y deseó volver al hogar del que apenas había tenido noticias.

Aquella misma noche emprendió el viaje en un carro que pasaba por Corraleda. Permaneció tendido sobre los pellejos de vino, contemplando la infinita profundidad de la noche estrellada, sin ver nada a su alrededor, como en la cima del mundo; sólo las ramas de algunos árboles que se curvaban sobre su cabeza y se alejaban después de haberse entretejido con la luz de los astros. Así marchó, envuelto en el chirrido del carro y el olor agrio de las corambres y las heces de vino, olvidado de todo, sin poder dormir. Al amanecer, un frío penetrante le produjo malestar y se envolvió en la manta. Se sentía débil y se durmió pronto.

En su casa pasó dos días de una felicidad insospechada. Se sentía profundamente niño, infantil. Los cuidados de la madre, los juegos de la hermana, las charlas del padre y, sobre todo, sus paseos por el río, le producían gran placer. Lloraba a menudo sin saber por qué.

Pasados los dos días se hizo preciso decidirse y hacer algo. Su padre le dijo que, puesto que estaba bueno, era natural que volviese al trabajo. Se decidió, a pesar de los lloros de María, que sentía perder a su compañero de juegos; y a pesar de que su madre, cuando se hablaba de la marcha, permanecía extrañamente silenciosa.

Una mañana salió camino de la casa del amo. Iba alegre, liberado del peso de la inacción. Desde el recodo del camino vio la iglesia de Hontanar y este descubrimiento le produjo extraordinaria felicidad. Se miró las manos y siguió caminando impaciente ya por llegar.

Las niñas del ama estaban jugando a la puerta y al verle, corrieron hacia él llamándole a gritos. En aquel mismo momento salió la madre y las llamó con tan fuertes voces que éstas se detuvieron. La madre las alcanzó y tomándolas por los hombros, una a cada lado, se acercó a saludar a Gregorio y le invitó a pasar. Éste lo hizo, y mientras cruzaba el sombrío portal, empedrado de guijas y lleno del olor de la cuadra próxima, sintió como el corazón le latía apresurado y la sangre se le subía a la cara. No hizo el menor ademán para besar a las niñas y vio en la cara de la madre agradecimiento y compasión.

Subió luego la estrecha y oscura escalera, abrió una puerta con gatera, y entró en la ancha cocina: todos le saludaron cortésmente, y le cedieron amplio asiento en los bancos de nogal. Demasiado apresuradamente, pensó Gregorio y ante la mirada esquiva de los otros palideció.

Estaba solo. Sintió esa certeza de tan profunda y dolorosa manera que sólo por un tremendo esfuerzo pudo evitar que se le soltase el llanto. Dejó caer los brazos a lo largo del cuerpo, tan irremediablemente como si hubiese perdido la vida un segundo. Le hubiera gustado dejarse caer allí, acurrucado y llorar.

En un instante recordó su vida infantil, que se le aparecía ahora vívidamente, en medio de su debilidad. Y se acordó de su padre, el viejo pastor, que después de haber estado, a través de su sangre, luchando miles y miles de años con nieves y tormentas y lobos y cansancios, se había hecho como tallado en madera. Si temblaban sus manos, era porque también se estremecen las hojas. Y ahora, como un árbol, como una oveja de cara paciente y dulce, aguardaba su fin. Sin resignación porque sabía que estaba viviendo y que el morir de las ovejas, y de los árboles y de los hombres, es el vivir. El fin... ¡Dios mío, sí, pero no así! No le importaba el final pero le dolía que fuese como el de un arbolillo desgajado por el huracán, como el del cordero caído por el barranco. Su padre tenía razón. Él no debía haber dejado de ser pastor. Quiso alterar el mundo y he aquí el resultado. Pero ¿podía haber hecho otra cosa?...

Se dio cuenta de que el amo estaba hablándole quizá hacía mucho tiempo. Y de que él bajaba la cabeza y afirmaba sin saber a qué. Y de que el ama le miraba con los ojos cargados de lágrimas. Y que la cocina estaba vacía y las palabras del amo retumbaban sonoramente.

—... por eso, Gregorio, aunque nosotros te apreciamos y te tenemos ley, sin hacer de menos a nadie, pues hemos pensado...

Y continuaban los circunloquios y las expresiones confusas. Le parecía que estaba ante su juez.

—... y ya habíamos tomado a otro porque como tardabas tanto...

No, eso no, no quería compasión. Y sonriendo contestó:

—No, si yo venía por el aquel de verles a ustedes y darles las gracias por todo. Pero no quería volver al trabajo. Tengo que echar una mano en casa. Mi hermana tiene que ir a la escuela y mi madre va haciéndose mayor...

Acumulaba razones apresuradamente. El amo se levantó.

—Pues ya que así se arregla todo a gusto de todos es mejor.

El ama trató de sonreír.

—Pero ya te llamaremos, hombre. Para la vendimia vendrás y llevarás a mis dos hijas a la viña. A la Luisa no la vas a conocer, porque la vamos a poner de moza.

Al despedirse el ama le puso en las manos una canasta con huevos, manteca y unas peras.

—Para tu madre.

Cuando llegó al recodo vio la figura que se escondía. La Luisa, toda encendida, cogidas las manos detrás de la espalda, le miraba...

El camino de regreso se le hizo doloroso y largo. Su debilidad, su ternura, se habían acentuado. Ahora, hasta le parecía notar unas extrañas punzadas en el costado, y tuvo que tenderse un rato a descansar en un ribazo.

Allí se fue calmando su excitación. De pronto, le invadió una tremenda cólera contra todo, pero poco a poco volvió a pensar en aquella irremediable soledad y en su sueño suave en el regazo de su madre.

Se tendió, y como en otros tiempos, colocó su chaqueta de pana, cuidadosamente enrollada, bajo su cabeza. En el cielo grisáceo, arremolinadas nubes oscuras se deshacían. A la derecha, la cima de un álamo se curvaba graciosamente a un lado y a otro a impulsos del viento que comenzaba a levantarse. Desde muy alto, vio descender una hoja amarilla que al caer se posó en su pecho. En el árbol, un pájaro hacía oír un graznido agresivo y desagradable. «El corujo despierto, el verano muerto.»

En su mejilla cayó una gruesa gota. Se levantó y se puso la chaqueta. Reemprendió el camino y huyó deprisa, deprisa. Como si le persiguiese una implacable sinfonía, que a veces parecía mitigarse y ser como las melodías de flauta que había oído en su niñez a los pastores, y otras veces era agresiva y condenatoria como el graznido del corujo.

Cuando llegó a Corralada, el cielo seguía tempestuoso, pero después de aquellas primeras gotas amenazantes, la tormenta parecía más lejana. Al llegar a las proximidades de su casa se detuvo. Tenía que recobrar el aliento antes de llegar.

En la puerta de la casa, la hermana sentada en una silla junto al padre. Él se apresuró a explicar, velozmente, como excusándose:

—Han tomado un temporero hasta fin de semana... Entonces volveré... Estaré sólo unos días...

No parecían haber notado nada. La madre cogió el cántaro y dijo que iría a por agua antes de que descargase la tormenta. El viejo dijo a la niña que debían entrar y ésta le ayudó a hacerlo.

No habían notado nada. Gregorio suspiró de alivio. Pero no podía seguir allí. Estaba solo y siempre estaría solo. Volvió la espalda a la casa y emprendió el camino, extrañándose de no llorar.

Torció a la izquierda para no pasar por el pueblo. En la fuente estaría su madre, esperando encontrarle a la vuelta. No quería verla. No quería decir nada. Saldría a la altura de aquellos álamos que se balanceaban fuertemente bajo el viento impetuoso, al camino de Ferreda. Una vez en aquellos álamos nadie le vería ya.

Pero en aquellos álamos estaba la Marijuana. Y Gregorio Martín al verla, palideció y apretó rabiosamente los dientes y los puños. No debía llorar, no debía hacer ver que estaba tan débil. Pero ¡sería tan dulce reclinar la cabeza en el amado regazo!

—¡Hijo!

Era maravillosa la dulzura de la voz de la Marijuana en aquel momento, aunque siempre, para dirigirse a sus hijos, lo había sido. Gregorio Martín se abrazó a su madre y sintió las primeras lágrimas resbalar por sus mejillas. Pero sintió tan gran consuelo, sintió tan abandonado su dolor, que cesó su llanto. No, no. Nada podía alterar su soledad.

Incapaz de mirar a su madre se desenlazó de ella y emprendió el camino. A su espalda, la Marijuana le llamó. Le llamó con el nombre que nunca le había dado. Con el nombre que sólo la pequeña María conocía y que nunca había sido pronunciado delante de la madre.

—¡Goro!

Tuvo miedo. Miedo de volver. Tuvo miedo de los hombres que le cedían el sitio, de los amos que le llamarían nada más que para la vendimia. Tuvo miedo de la Luisa, a la que iban a poner de moza y que no le había besado. Estaba solo y no tenía remedio. Y con la más aguda pena en el pecho echó a correr tan deprisa, que pronto su madre dejó de oír el ruido de sus botas claveteadas contra el suelo.

Y la Marijuana se dejó caer a tierra, doblando débilmente las rodillas, bajando la cabeza sobre el pecho y contemplando, a través de sus lágrimas, sus manos tan grandes, tan huesudas, tan desproporcionadas y tan inútiles para hacer compañía a su hijo, que estaba tan irremediablemente solo.

1947

La noche de Cajamarca

En lo alto se cierne un ave gigantesca; en el sombrío abismo espumajea el torrente. Una fila de hombres trepa por la senda llevando los caballos del diestro. Cuando descansan les acuchilla el frío; cuando caminan les falta el aire, que se enrarece progresivamente con la altitud. «En Castilla, en Tierra de Campos, no hace mayor frío que en esta sierra, la cual es rasa de monte, toda llena de una hierba como esparto corto. Algunos árboles hay adrados, y las aguas son tan frías que no se pueden beber sin calentarse.» ¡Castilla! ¡Cuántas veces anhelarían ellos verse «en parte donde todo el horizonte se terminase con el cielo y la tierra tendida, como en España en mil pedazos se ve!». Pero, como arrastrados por sí mismos, continúan adentrándose en lo desconocido. De súbito, tal peña pierde su equilibrio milenario y rueda retumbando hasta el torrente: los hombres se sobrecogen como si hubieran sentido una mano de espíritu empujándola. De noche, en vano alzan la vista a las estrellas. En Flandes o en Italia seguían siendo las de la propia aldea, con sus nombres y figuras; aquí son otras, frías, enemigas.

Mas, los españoles, «tanto trabajo y peligro lo toman tan alegremente». Dios no habrá querido que descansen de servirle. «Comenzaron las conquistas de Indias acabada la de los moros —escribe el cronista—, porque siempre guerreasen españoles contra infieles.» Los indios tienen rostro de piedra y como de alma incomunicable, pero «son como nosotros, fuera de la color; que, de otra manera, bestias y monstruos serían y no vendrían, como vienen, de Adán». Con esa fe se abrazan los españoles a su destino: «Descubrir, subjetar, poblar y convertir.»

Ésos que avanzan, sesenta y dos de a caballo y ciento y dos de a pie, ha cincuenta y dos jornadas que se partieron de la ciudad de San Miguel, la primera fundada en estos reinos. Cada día tocan mejor la magnitud de la empresa: se han aposentado en *tambos* bien abastados, han cruzado pueblos de numerosa gente, han visto organización y ejércitos. Una impalpable amenaza, un no sé qué de miedo primitivo les va envolviendo; y al descubrir en las pétreas fauces de los ídolos cuajarones de sangre humana vuelven la vista hacia la cordillera, donde está el que reina sobre este mundo y de donde llegan efluvios inquietantes.

Por eso mismo, en los montes acabarán entrándose. Todavía vacilaron una última vez: a un lado continuaba la vía de los Incas, sombreada de árboles y acompañada de corrientes aguas. Al otro comenzaba la enriscada senda. Pero como les dijo su capitán: «Al fin y al cabo, todos los hombres morimos, con la diferencia de que unos dejan fama y otros son olvidados».

«El pueblo, que es el principal del valle, está asentado en la halda de una sierra. Tiene una legua de tierra llana, surcada de dos ríos con sus puentes. La plaza es mayor que ninguna de España, toda cercada con dos puertas que salen a las calles del pueblo.

Las casas della son de más de doscientos pasos en largo, de piedra de cantería muy bien labrada, y dentro de los patios sus pilas de aguas traída por caños, de otra parte, para el servicio destas casas. Por la delantera de la plaza, a la parte del campo, está encorporada en la cerca una fortaleza de piedra con una escalera de cantería. En la ladera de la sierra, donde comienzan las casas del pueblo, hay otra fortaleza mayor, con subida como de caracol. Y a la entrada del poblado está una torrecilla dedicada al sol... Es viernes, hora de vísperas, que se contaron quince días de noviembre del año del Señor de 1532.»

Para hacer la entrada en Cajamarca, el jefe divide a su gente en tres huestes. En el cielo pesan tormentosas nubes, pero la luz, entrando por un desgarrón lejano, perfila el vasto campamento de Atahualpa, emplazado a una legua en otro recuesto de la sierra. Los indios huyeron del pueblo, y las puertas abiertas, los enseres desordenados y el vacío de las casas impresionan desagradablemente. No encuentran a nadie; tan sólo los jinetes que van en descubierta alcanzan a una vieja rezagada: ella se les vuelve gesticulando maldiciones.

El capitán manda una embajada al Inca: Hernando de Soto con veinte jinetes. Sube a la torre para verlos partir, y siente tal angustia al divisarlos empequeñecidos bajo la amenaza de la cordillera, que envía en su alcance a su propio hermano con otros veinte hombres. A medida que se van alejando la tarde se extingue, amortajada entre grises flecos de lluvia.

Una abigarrada manta, de lana de *oveja cerval*, tapa la entrada del reducido aposento. Contra los adobes del muro descansa una espada; en un ángulo se amontonan cobrizas mazorcas. Por la ventanita penetran frías ráfagas y el monótono tamborileo de la lluvia. El capitán descansa, recostando sus viejos huesos contra una silla de montar.

Resuenan hierros y pasos. Se alza la cortina y entra Hernando de Soto con otros hombres de armas, a informar a su jefe de lo que ha visto.

El relato fluye cargado de inquietudes que se agarran, viscosas, sobre el ánimo de los oyentes. El campamento se extiende en un largo de una legua, con infinitud de tiendas y de guerreros impasibles. El pabellón del Inca está en un claro, guardado por cuatrocientos indios y atendido por copia de servidores, cuyas túnicas de primorosa lana ostentan adornos de oro labrado a martillo. El esforzado Soto, para esconder el desánimo, galopó hacia el Inca y encorvetó su corcel «junto a la silla de Atabaliba, que no hizo mudanza ninguna, aunque le resolló en la cara el caballo; y mandó matar a muchos de los que huyeron de la carrera y vecindad de éste». Mañana se llegará el Inca a Cajamarca acompañado de sus indios. Armados, como armados se le han acercado los españoles. Estaba en un trono de oro, petrificado su rostro de ídolo. Y, bajo el *llautu* (la borla carmesí de la realeza), sus ojos centelleaban desde sombrías profundidades.

Cuando Hernando de Soto concluye su desalentada relación el silencio se espesa. El capitán percibe el desmoronamiento de los ánimos y clava los ojos en el narrador, quien baja los suyos, porque ha visto al Inca. El decisivo instante requiere un gesto sobrehumano para reconquistar la fe. ¿Cuál será ese gesto?, se pregunta el jefe. La indecisión se prolonga, se eterniza, va a durar lo bastante para perderlo todo... ¡Dios, al menos moverse!... Coge su espada maquinalmente y, por vieja costumbre, comprueba antes de ceñírsela si la hoja corre bien: la desnuda un palmo y la vuelve a envainar.

Quizá sea solamente el choque metálico de la cazoleta contra la boca de la vaina lo que, como un eslabón, ha desprendido chispas y encendido los ánimos, ya hechos a la voluntaria fatalidad que siempre sigue a ese gesto. O quizá la luz crepuscular ha dejado ver un momento sobre la hoja el signo famoso del espadero Sebastián Hernández, y alguien evoca entonces una visión de Toledo, y la crea y la infunde a los demás con su vigor de piedra y de alma... Como quiera que sea, el aire histórico del pequeño recinto ha cambiado. El jefe se yergue, mira a sus hombres y sale a dar órdenes. Ellos le siguen decididos: todo está ganado.

¿Todo?

Cesó la lluvia y cuajó la noche, la gran concavidad oscura cuya tiniebla se infiltra en el corazón del hombre que está en la torrecilla, velando su destino ante Atahualpa. El irreal silencio de las grandes horas aplasta los ruidos que estaban preparados. Como desde otro planeta, así cree ver las cosas el anciano.

El lugar, sitiado por el mundo berroqueño de la cordillera, habitado por dioses «invisibles y como escuridad y ayre»; el instante, filo de una balanza decisiva; su propio viejo cuerpo, «grosero, robusto, animoso, negligente de su salud y vida», y ahora más cerca de flaquear que nunca. Y, sobre todo, su pasado: tejido de frustrados e insistentes aldabonazos a la puerta del Destino, para no morir olvidado.

A esa puerta reacia golpeó primero en Italia, todavía mozo, entre aquellos que condujo a las victorias Gonzalo de Córdoba. De esos tiempos quedan en los cansados huesos muchas nostalgias y una afición a llevar sombrero blanco lo mismo que el Gran Capitán, pero sólo eso, sin ninguna grave hazaña que se dejara coger, sin que el nombre quedara ya escrito. Después pasó a las Indias, estuvo en Santo Domingo y, al fin, fue a Urabá con Alonso de Ojeda.

Allí pensó que la puerta cedería, pues él iba como segundo entre todos, y el verde mundo era lo bastante ancho para dar sitio pronto a dos primeros; pero ser segundo no le valió otra cosa sino resistir fiebres, diluvios y asechanzas sin brillo, ejercitar la tensión y organizar por la selva una penosa retirada en la que muchas veces transportó sobre sus espaldas a un enfermo. Más tarde se unió a Balboa (aquel hombre que «no sabía estar parado»), y fue su teniente para la expedición a la Mar del Sur, en la que se sintió cerca de algo tan importante como que sus ojos fueran también los primeros en ver nacer para Europa a un Océano. Ahora, en esta evocadora noche de Cajamarca, ésta es la visión más presente: la de Balboa reservándose para sí solo el gran momento, mandando a la tropa esperarle y escalando el monte desde cuya cima el indio cuarecueño aseguró que se vería ya la mar. Sí, los inolvidables y orgullosos destellos de la coraza de Balboa entre la maleza, cada vez más arriba; su pequeñez y su grandeza allá en la altura; su silueta inmóvil en la cumbre, mirando hacia el sur; y la envidia en el desconocido teniente. Años después, aquella isla del Gallo, aquella playa donde la línea trazada por una espada separó a los que querían fama de los que la temían... Y la cerrada puerta siempre inflexible, y la vida escapándose entre los días.

Ahora ¿no es viejo ya? ¿A qué insistir todavía?

Pero si algo le es imposible, es ceder. No importa que le abrume el irreal silencio en torno, ni que la inmensa tiniebla le niegue toda salida y hasta le presagie un final oscuro, de mero episodio en la gran hazaña común de las Indias, como fueron lo de Urabá o la tenientía de Balboa. Es que en todo su cuerpo no hay ni una sola fibra que sepa lo que es flaquear y desmoronarse. Ni ahora siquiera, ni en esta su noche de los Olivos en que, como el cronista escribió soberbiamente de Pedro de Alvarado, «el alma le duele» al anciano que vela en Cajamarca.

Porque «los españoles —también se escribió entonces— tenían miedo de morir, aunque ánimo para morir». Si esta noche vence este hombre sobre su humanidad, mañana vencerá sobre Atahualpa. Y alguien ha de salvar de la piedra el nuevo mundo, derribando tinieblas y arrancando a un imperio de la prehistoria. Hay que dar a esos pueblos «que son como nosotros» la voz de levantarse y de andar: sacarlos de la muerte, ponerlos en camino de cumplirse. Eso es lo que hay que hacer, ésa es la hazaña.

Al cabo, como si unas puertas inmensas se hubieran abierto, la noche deja de tener fantasmas, el aire petrificado se llena de ruidos de vida y el cielo palpita en sus estrellas. Abajo de la torre pequeñas hogueras alumbran a hombres que duermen o que se afanan sobre sus armas, arrancándoles un alegre tintineo de acero. A lo lejos, mientras tanto, han palidecido las hogueras del real de Atahualpa y la sierra dibuja un contorno nítido, claro, lavado ya de todo misterio. Y el viejo cuerpo, asombrado, se siente ahora con raíces en este paisaje, bajo el cual quedará soterrada para siempre, vivificadora, su dolorida noche. Su victoria.

A la mañana, el Nuevo Mundo se mirará asombrado. Oirá cantar los ríos, verá nacer la letra y comenzar la historia. Quizá sin saberlo exactamente, el anciano siente flamear en lo alto las banderas de las naciones futuras. Llena su sangre de abrumadora música, apoya la cabeza entre las manos y da gracias sin palabras.

Un ser resplandeciente le contempla desde las estrellas. Es Francisco Pizarro, el héroe que el anciano ha dado a nombre.

1949

Viajero

Veo constantemente la triste luz de los faros del taxi perdiéndose en la noche de la calle sin faroles. De pronto se aplasta contra un muro que tendrá detrás una casa, claro, pero que parece estar ahí sólo para encajonar nuestra marcha. El taxi se inclina en la curva y la luz resbala sobre el ladrillo y vuelve a proyectarse hacia delante. Me recuerda el proyector del aeropuerto. Íbamos y veníamos, bajo la llovizna, del edificio al avión, y del avión al edificio, según mejoraba o empeoraba cada parte meteorológico. Al fin nos dieron la orden de salida: el retraso del avión tiene la culpa. Por eso llegué de noche a la capital del Imperio. Noche que recién acabada la guerra, hacía más imponentes los escombros y los huecos, más desurbanizada la vida, más ficticios los interiores con el amarillo de las bombillas sin tensión suficiente. Por eso es todo tan indefinible. Como si esto fuese una decoración de ciudad que de un momento a otro pudiera derrumbarse y dejarme en medio de ese otro mundo que se infiltra y que lo hace todo tan extraño.

¡Qué desvaríos nacen de esta carrera nocturna por

la ciudad desconocida! Meras imaginaciones; no realidades. Las realidades son esta cartera y, dentro, el gran sobre con el membrete de mi empresa, la casa en que trabajo: ciento veinte millones de capital desembolsado y sucursales en todo el mundo. Y, en el sobre, el importantísimo mensaje que he de entregar en propia mano. Ésa es la realidad: Aún me parece estar viendo a mi jefe mientras me daba instrucciones. Recuerdo muy bien que, ante todo, me alegré de esta ocasión para distinguirme. (Sólo más tarde, al leer en el periódico noticias de la epidemia, pensé que tampoco estaba mal salir del país cuando empezaba a ser alarmante.) Con esas realidades me sería muy fácil probar de dónde vengo y qué es lo que hago aquí, en este taxi que rueda sin parar.

Además, ¿para qué necesito probarlo? Todo está claro. También está claro a dónde voy; en el sobre está escrito (tranquiliza palpar la cartera) el nombre del destinatario, de mi destinatario. Y no cabe duda de que esa persona existe, aunque no estuviera en su casa. ¿Me iban a costear, si no, el viaje en avión? Incluso he oído su voz. Se me podrá objetar que no la he oído realmente, sino tan sólo unos sonidos en un auricular, pero él tenía que estar hablando al otro lado del hilo. Sin embargo —sí, nada gano con engañarme—, ¿por qué no estaba en su casa a la hora que me dijo?

Y, ¿por qué su ausencia no ha de tener una explicación? ¿Por qué me he de sentir envuelto en lo ultranatural? Por ejemplo, el meticuloso examen sanitario a nuestro aterrizaje, la machacona insistencia en preguntarnos si en estos días últimos se nos había nublado la vista o habíamos sentido un frío desde los pies a la cabeza, podrá impresionar desagradablemente pero es fácil de comprender, porque son los únicos avisos de la misteriosa enfermedad propagada allá abajo desde las aldeas indígenas. Inútiles, además, porque más o menos rápidamente sobreviene tras ellos un sudor helado que es el fin. Y si la persona a quien llevo el mensaje no estaba en su casa, a pesar de haberme citado, será también por algo muy natural que ya me dirá. Pero ¡qué calle! Interminable, recta y ligeramente cuesta arriba, convergiendo allá en las tinieblas. Desierta: yo solo caminando entre muros y verjas de amplios jardines. Excepto la vieja; idiota y muda como si no me hubiera oído o como si su idioma no fuese también el mío, el de todo el Imperio. Allí quedó mientras seguían pasando hacia atrás (y mis pasos retumbando) las orillas de la calle, lanzada hasta el confín de la ciudad, inhumana, complaciéndose en agravar con su longitud mi cansancio del viaje y en sugerirme con sus tinieblas asesinos apostados en las puertecitas abiertas en los muros bajo frondas de ramaje. ¿Hasta el confín? Ilusión: cuando llegué al aparente final crucé otra calle transversal y vi que la mía continuaba al otro lado, igualmente inacabable, pero ahora en ligera cuesta abajo, por lo que desde el trozo anterior no se veía su prolongación. Una cuesta arriba y otra cuesta abajo, como si la ciudad estuviera sobre un inmenso poliedro y yo hubiera pasado de una cara a otra. ¡Qué alivio, por fin, encontrar el portal y escaparse de la calle!

Si el mensaje es tan importante, ¿por qué no me esperaba? No me puedo negar que es raro y que toda la casa era rara. Su sordidez, el niño torturado que lloraba al fondo del larguísimo pasillo, el olor a cocina. La mujer ambigua entre criada y señora; el comedor en que me hicieron sentar, con sus mediocres muebles enfrentados a la alta estantería de refinados e increíbles libros: filosofía, arte y cosas así. Y la luz más triste que nunca, haciendo que la librería estuviera como cayéndose encima de mí sin acabar de caerse. Y la espera, con la enervación del viaje pesándome cada vez más. No tengo la culpa de que el hombre no llegase; yo necesitaba volver al hotel y descansar. Por la mañana todo será fácil, pero yo no podía estar allí ni un minuto más. Es la noche en esta enorme ciudad que todavía sufre de la guerra recién acabada; es el retraso del avión.

Me pareció una gran suerte encontrar a la salida el taxi, siendo tan escasos todavía. Pero ahora, después de tanto tiempo rodando en él, ya no sé qué pensar; ya no lo sé. Siempre seguimos en las mismas calles, como dando la vuelta a una manzana. No veo nada más que una cierta claridad delante y algún muro, el mismo muro. Aquí dentro no hay luz y no puedo distinguir —la luz de los faros se hace cada vez más débil— ni siquiera la hora en mi reloj. Y la única manera de comprender lo que pasa es ver mi reloj, pues necesito saber cuántas horas hace que voy en este coche. Son muchas y, sin embargo, no he visto amanecer. Además, ¿tan lejos estamos de donde sea? Esto es lo que no me explico y lo que me confunde las ideas.

¿Te das cuenta? Hace muchas horas que vas aquí rodando. Lo demás, la noche y la guerra, la decoración y lo que está tras ella, la luz y el muro, podrá ser sólo extraño, pero este larguísimo tiempo es algo muy grave. No se puede estar horas y horas rodando en un taxi sin saber adónde.

¡Si yo sé adónde voy! A entregar el mensaje vital que traigo desde otro hemisferio. Es decir, iba. Ahora voy a descansar pero mañana lo entregaré. No ha sido culpa mía. Está aquí dentro del sobre que hay en mi cartera.

¿Estás seguro? ¿Es un mensaje o un sobre, sólo un sobre? Y aunque esté lleno de papeles, ¿qué dicen? ¿Están siquiera escritos? Y si lo están, ¿qué? ¿A quién los llevas?

Hablé con él yo mismo —bueno, con su voz, o con unos sonidos en el auricular— y me dijo que fuera. Le esperé largo tiempo en la extraña casa de la extraña ciudad de esta noche dudosa. Ahora veo que

116

he ido a ver a un hombre a quien no he visto. ¡Si al menos estas dos puertas ajustaran bien por abajo y no me llegara tanto frío a los pies! Abriendo el sobre podré salir de dudas. Pero sería horroroso que fueran papeles en blanco. Prefiero ponerme a averiguar la hora. Pare un momento... ¡Pare! ¿Qué hora es? ¿Es que no me entiende o es que con este vidrio no me oye?

O es que no hablas.

O es que no hablo. Abro la boca pero no es que hablo. Me daño la garganta pero no es que grito. ¿De qué puedo estar seguro? Ni siquiera de lo anterior a que empezaran estos sucesos incomprensibles. Me envía mi Director General, pensaba yo, pero ¿he visto nunca al Director General? ¿Existe? Es indemostrable, igual que la persona a quien voy destinado, igual que el importantísimo mensaje. Lo único que sé es que llevo horas, ho-ras, HO-RAS, rodando en esta caja traqueteante y antiquísima, negra y cerrada, y cada vez más fría. ¿Hacia dónde? ¿Cuándo entré aquí? ¿Cuándo saldré? ¿Llegaré al hotel?

¿Y será el tuyo?

Sí, ¿por qué han de acertar con el mío? ¡Qué horror, llegar a otro hotel, excusarse y volver a esta caja negra que rueda en las tinieblas! Y saber que será para ir a otro hotel también desconocido o a llevar no sé si algo a otra persona ausente. Rodando y rodando, como llevando un cero a uno u otro de los infinitos puntos del infinito. Sin saber nada, por estas calles negras o resbaladeros del mundo, con embocaduras a izquierda y derecha que esta caja toma o deja caprichosamente, como si estuviera viva. Sin saber nada: ni quién me envía, ni cuál es mi mensaje ni para quién. Ni si hay un mundo lejano donde viví «antes»; ni si hay otro, al final de estas calles huecas, donde viviré «después». Y helado ya, completamente helado todo el cuerpo: estas terribles puertas

117

tienen que estar abiertas. No las veo, pero tienen que estarlo.

¿Abiertas? ¿Abiertas? ¿Abiertas?

Te suplico que no me lo preguntes tampoco lo sé. Tampoco ni mi destino cuál es por encima del poliedro icosaedro dodecaedro infiniedro. Te suplico te suplico no preguntes no más porque no hay guardia ni nada ciudad aunque si me apeo enfrente habrá farmacia y comisaría que es lo que hay. Pero no puedo no me oyen o no hablo y a mi destino que ignoro en esta glacial-caja-negra-que-rueda y no me paro no comprendo no preguntes más suplico. Son demasiadas demasiadas preguntas angustia de pensarlas este sudor helado siento de las puertas abiertas. No quiero pensarlas no puedo pensar más no pensar más no pienso nada.

1949

Arca número dos

A Felipe Gil

Otra vez se movió la plataforma intermitente para llevarse al que acababa de plantear su caso y acercar otro a su ventanilla. El recién llegado era un viejo rústico, de anacrónica barba y nada tipificado, de los que hacía muchos años ya no se veían por las urbes y suburbes mundiales. Venía desconcertado por los vertiginosos ascensores y por las plataformas mecánicas.

La máquina interrogadora entró en acción.

—¿Número? —preguntó su altavoz.

Como el silencio del viejo la dejara sin impresionar, la máquina pasó a la insistencia explicatoria.

—Debe declarar su número de identidad.

—No tengo —repuso el viejo—. Yo me llamo Nohé.

En el despacho del controlador se encendió la luz de «caso anormal». Entre tanto la máquina hizo girar la plataforma y, mientras otro peticionario se enfrentaba con el altavoz, el viejo se vio llevado por los suelos móviles, entre barandillas y vástagos, como los botes de conserva en las máquinas empaque-

119

tadoras que asombraban a los antiguos del siglo xx. Cuando todo paró, Nohé se vio ante el controlador, que ya había recibido un televisionama de las palabras del viejo.

—¿Dice que no tiene número?

—Así es. Sólo nombre. Nohé.

—¿No-Sé?

El controlador pronunciaba con dificultad aquellas voces arcaicas.

—Nohé —corrigió el viejo, ya como avergonzado de tener nombre.

El controlador miró asombrado aquel rostro curtido y sin rastro de la normal operación de estiramiento epidermial. ¿Qué edad tendría? Hacía doscientos cuarenta y siete años que se había implantado la clasificación numérica en los registros humanos. Claro que eran años de los modernos, después de corregida y normalizada la rotación de la Tierra; pero, de todos modos...

—¿Y no tiene número, además?

Algunas regiones atrasadas todavía conservaban la costumbre de dar nombre, para uso privado, pero oficialmente sólo era válido el número.

—No.

En tal caso, aquel viejo estaba sin clasificar. Era un problema pues, en los números de identidad, cada una de las cifras daba, sucesivamente, el sexo, la localización originaria, la clasificación mental, el grupo energético, el complejo característico, el número cromosómico y las posibles variantes atípicas distintivas. Las dos últimas cifras que, naturalmente, eran variables, correspondían a la edad. Resultaba sencillísimo. Pero, ¿qué hacía uno con aquel viejo?

—¿De dónde viene? —le preguntó al fin.

—Del Gluchistán.

El controlador tuvo que consultar un atlas histórico para averiguar que aquello era justamente la cordillera cuyas nevadas cumbres se veían desde la ventana del control los días que el Consejo Urbano decretaba serenos. Eran las únicas montañas que quedaban en el mundo, como Parque Internacional, para conocimiento de los historiadores y conservación de algunos ejemplares de animales. Por eso se habían salvado del normalizador allanamiento previsto en ciertos proyectos.

—Y, ¿cuál es su profesión?

—Pastor.

¿Pastor? ¿Qué era eso? Bueno, había que acabar rápidamente con aquel loco o resucitado, porque el reloj que controlaba al controlador estaba a punto de marcar «ineficiencia» en la hoja del día.

—Bueno. ¿Qué quiere?

El viejo reaccionó como si por primera vez hubiera oído algo razonable.

—Un arca —estalló angustiosamente—. Tengo que hacer un arca flotante. Con urgencia.

—¿Un arca? ¿Qué es eso? ¿Por qué?

—Dios me lo ha ordenado.

—¿Dios?

—Dios. Me envió un sueño profundísimo, se me apareció y me mandó construir rápidamente un arca y meterme en ella con mi familia y con una pareja de animales de cada especie.

—¿Animales? ¿De cada especie?

—Bueno —dijo, el viejo temiendo pedir demasiado—, quizás baste con los grandes solamente. Ya se encargarán ellos de llevar los microbios y los parásitos.

El controlador meditó, pero sólo un instante, por causa del reloj. El viejo estaba loco, pero había que tramitarlo de todos modos. Si era un sueño, ¿por qué no había ido a un Dispensario de Psicoanálisis? A lo mejor le gustaba una de sus terneras. Pero allí seguía el viejo sin resolver y el tiempo pasaba. Miró el reloj.

—En fin, ¿qué puedo hacer yo? ¿Quiere acaso algo de la Jefatura de Materiales?

—¡Sí, materiales! Para hacer el arca. Y animales de cada especie. He de cumplir el mandado del Señor.

El controlador ya no le escuchaba. ¡Por fin!, pensó mientras apretaba un pulsador del reloj de control, justamente a punto de expirar el plazo. Y mientras las bandas y plataformas se llevaban al viejo, le gritó:

—¡Exponga su petición al informista general!

Así lo hizo. Pero, como era caso raro, las máquinas instanciadoras no sirvieron y un viejo ordenanza ya declarado a extinguir tuvo que venir desde su habitáculo colectivo para redactar una instancia como las de los archivos históricos, en la que Nohé, sin número, natural de Gluchistán, de profesión pastor, a V. I. suplicaba respetuosamente, etc. Y tampoco sirvieron las máquinas resolvedoras que, apenas había pasado la instancia por tres o cuatro pares de tambores, la expulsaban del circuito normal con el sello de «anómala». Así es que el curioso y anacrónico documento recorrió todas las dependencias administrativas, saliendo de cada una de ellas cada vez con más metros de microfilme archivable.

En general los informes fueron condescendientes con la rara pretensión del viejo. Así, por ejemplo, la Sección de Zoología Museal no se opuso a conceder las parejas de animales, aunque advirtiendo que no eran necesarias todas las especies, pues muchas podían obtenerse genéticamente, incluso por procedimientos ya anticuados, como el de cebra = yegua + tigre. Pero todo resultó inútil cuando la Junta de Materias raras denegó la concesión de madera para el arca, fundándose en lo injustificado del proyecto. El solicitante ignoraba, al parecer, que los océanos habían sido agotados muchos años antes para extraerles las sales disueltas, y que las aguas residuales habían quedado acumuladas en gigantescos depósitos, construidos sobre lo más desértico del allanado planeta. Y como la lluvia no era más que agua de aquellos depósitos, condensada en nubes por los Consejos Urbanos para componer a voluntad paisajes o para regular los ciclos de melancolía de los ciudadanos, era insensato amenazar con un diluvio catastrófico.

Cuando la máquina informante le leyó la resolución recaída en su expendiente Nohé apenas comprendió otra cosa, sino que no había nada que hacer. En realidad, ¿acaso entendía siquiera las palabras corrientes, cuando eran dichas por aquellos agujeros? Y luego, las plataformas, tanta implacable geometría ante los ojos, la frialdad química de alimentos y ropas, y hasta las diversiones reglamentarias y el placer que, naturalmente, era obligatorio y estaba normalizado... Después de todo, el hecho era que él había cumplido con su obligación al soportar todo aquello. No esperó más: hizo un hato con su vieja ropa y echó a andar rápidamente, sin querer saber nada de nada. Hasta que, al sentirse otra vez a la sombra de sus montañas, volvió a ponerse su túnica, de tibias lanas humanizadas por el telar doméstico y abandonó las ropas sintéticas como hubieran hecho sus antepasados, a la puerta del templo, con las impuras babuchas.

Fue después, ya sentado entre los suyos a la puerta de la cabaña patriarcal, cuando se dio cuenta de que las palabras del altavoz informante habían tenido mucha trascendencia. Y meditando su terrible significado, sintió espantado su no culpable corazón humano, al imaginar qué tremendos rayos lanzaría esta vez el Señor.

Sin embargo, todo fue mucho más fácil que la vez anterior. Ni siquiera hubo que recurrir a las cataratas del cielo. La flamígera espada de la exterminación tomó sencillamente la forma de una paloma, porque como aquel mundo sin imprevistos había renegado de las aves, quedaba tan inerme frente a ellas como no lo estuvo en ninguna de sus épocas anteriores. Sí; bastó con que, al expirar el plazo, una paloma tendiera el vuelo desde las montañas hasta la urbe y dejara caer sobre un gran edificio cierta excreción nada normalizada. Como las cubiertas estaban sin echar por no ser día lluvioso, aquello fue a caer sobre una diminuta célula fotoeléctrica del servomotor principal que, al quedar tapada, no pudo registrar el exceso de desintegración en las pilas. Así fue como estalló la central atómica de la urbe N-327.

Con eso fallaron también todos los reguladores alimentados por la energía de aquella central básica y explotaron todas las subsidiarias. Las reacciones en cadena alcanzaron a yacimientos de minerales radiactivos, que se desintegraron abriendo inmensos cráteres rodeados de montañas. Los muros de los depósitos mundiales de lluvia se resquebrajaron y sus aguas inundaron la Tierra. Se destrozó también el compensador ecuatorial del eje terrestre y así renació el ciclo natural de las estaciones mientras, a medida que se sosegaban los huracanes desatados por la catástrofe, iban reconstruyéndose los alisios, las brisas, los monzones. Sí, bastó una paloma para aniquilar a todos aquellos hombres, por la sencilla razón de que ya estaban previamente aniquilados entre sus propios engranajes, mecánicos y mentales. Sólo quedó intacto el antiguo parque de Gluchistán, arca nueva de granito: a salvo de estallidos por no tener centrales, de inundaciones por no haber sido allanado, y de huracanes porque las profundas cavernas del monte sirvieron de refugio, durante los cuarenta días, a la familia del patriarca y a las bestias.

Cuando Nohé se decidió a salir, contempló un nuevo mundo. El sol resplandecía sobre un increíble panorama de montañas y lagos, de valles y aguas bravas, de playas y ensenadas rocosas a la orilla de un cántico marino. Retumbaban todavía sordos ecos profundos, aún estremecía el ímpetu de las cumbres, quedaban desplomes de peñascos inquietos, vapores movedizos, ríos precipitados al océano desde los acantilados. Pero ya sombras de maravillosas nubes acariciaban el paisaje y se sosegaban en azul las lejanías. Sólo permanecía en tensión lo más secreto de la tierra, fecundando la fiel paciencia de olvidadas semillas para convocar los bosques futuros y las praderas dóciles al viento.

¡Aquel viento! El anciano irguió toda su estatura cuando hasta él llegaron las ráfagas de tanta vida. Bebiéndolas por los ollares, las bestias se desbandaban ya hacia las anchuras prometidas, mientras la nueva humanidad emprendía también la marcha monte abajo.

El patriarca no pudo seguir a los suyos inmediatamente. Inmóvil, incendiadas las venas, estaba respirando —no le quedaba ser para otra cosa— la profundísima certeza de que otra vez, sobre el campo de los siglos, comenzaba la prodigiosa aventura del hombre.

1951

Junto a la ventana

Delante, el gran ventanal. Más allá de los cristales, la calle a media mañana: ancha, limpia y sosegada entre las casas; con sus dos filas de acacias y un lujoso automóvil pasando de vez en cuando. Detrás, el silencio cauteloso del sanatorio, el frío de los muebles de tubo de acero, el olor a enfermedad y antisépticos, la embocadura del pasillo con sus puertas grises sobre una de las cuales puede encenderse repentinamente una angustiada lucecita roja.

Se abrió la puerta del quirófano. R se volvió con sobresalto. Salió alguien irreconocible bajo su bata blanca, sus botas asépticas, su gorro y su lienzo sobre la boca y la nariz. Con una gran caja niquelada cruzó la salita y desapareció. R se volvió hacia la ventana.

La calle era una delicia. En una casa como aquéllas, de zaguán con mármoles y espejos, de balcones como terrazas, vivía la tía. Pero R habitaba cerca del mercado viejo y en su estrecha calle, de irregular adoquinado, había siempre restos de hortalizas. Para subir a su piso no había ascensor, sino una crujiente y gastada escalera. La puerta del cuarto daba por dentro a la pared de un pasillo tan estrecho que lo cortaba en dos, mientras la mantenían abierta.

El sol apenas se posaba en el borde de las ventanas. Y Margarita, sin criada, no podía sacar al pequeño, todo el día afanada de la limpieza a las «colas», de las «colas» al fogón y del fogón a la costura. Únicamente los pocos domingos en que R no tenía trabajos extraordinarios, salían los tres a disputarse con cientos de familias iguales la rala sombra de unos llamados pinares, en las afueras de la ciudad. Después de esperar largo rato para ir abanastados en cascajosos tranvías, se sentaban al pie de un tronco y se miraban uno a otro mientras el endeble chiquillo tomaba el sol como quien toma una medicina. Tras de comerse la merienda resultaba más fácil hacer aquello, porque lograban dormirse. Y cuando, bajo un sol poniente (a pesar de todo, hermoso) volvían a disputarse unos decímetros cuadrados de tranvía para regresar del «campo», R sentía ganas de llorar y de que toda aquella farsa terminase. Y recordaba, no lo podía remediar, que la principal obligación del chófer de la tía era sacar el perrito mañana y tarde, salvo los escasos días suficientemente buenos para que lo hiciera ella misma.

No podía dejar de pensarlo. Muchas veces se acordaba, noche y día, desde que nació el niño. Sin embargo, él quería a la tía, ella se había portado bien. Al morir su hermana —la madre de R— viuda tiempo hacía del escultor con quien se casó a disgusto de la familia, la tía costeó a R el internado en que terminó la segunda enseñanza. Y los primeros domingos de mes iba a pasar con él los sesenta minutos autorizados en el reglamento, sin dejar de llevarle un cartucho de peladillas de donde compraba sus golosinas hacía veintisiete años. Luego le pagó la pensión y los estudios para ingresar en un escalafón del Estado. «Muy buena carrera, para lo que es el chico», solía decir a sus amigas. Sin añadir nunca que había tenido muchos gastos con el huérfano. Lo pensaba nada más, como lo pensaban sus edificadas interlocutoras, pero no lo decía porque debemos callar nuestras buenas obras. Y en este callar encontraba otro motivo más de satisfacción, de los muchos que su propia persona —con la mayor buena fe— le proporcionaba diariamente.

R sabía todo eso y recordaba que tenía un «porvenir seguro» gracias a la tía, lo que nunca agradecería bastante. Además, ella les invitaba a comer todos los primeros domingos de mes. Iban R, Margarita y el pequeño, procurando no fijarse en la cara del chófer cuando les abría la puerta del coche en la callejuela con restos de verduras. «Comed, hijos, comed —les decía en la mesa la tía, llena de entusiasmo—, que me da alegría veros. Todo está abundante.» Y, en efecto, las fuentes contenían por lo menos el triple de lo que ella solía comer, así es que había que agradecerlo, aunque R se quedase con hambre, como todos los días. «Ya quisiera yo poder hacer lo mismo —continuaba la tía—, pero no estoy para trotes —y empuñaba con vigor el cuchillo—. El día menos pensado me llamará el Señor. Entonces, todo esto será para ti, hijo mío. ¿Para quién iba a ser, si no tengo otro pariente?»

R la oía, y Margarita oía y hasta quizá el niño, pero sonreían denegando y bromeando. R incluso llegaba a hacer así con la mano, como para descartar tal perspectiva. Pero la perspectiva permanecía en el comedor. R y Margarita procuraban sinceramente no verla, pero estaba allí, como una llamativa pintura mural.

Y ahora también estaba, igualmente turbadora, más allá del ventanal del sanatorio. R la tenía delante mientras contemplaba la calle y mientras obligaba a su pensamiento a repetir que, sin la tía, la vida hubiera sido mucho más dura para él. La tía era buena y los quería; ellos la querían también. Por

Reyes le había regalado al niño un borriquito de cartón. Se interesaba por ellos, siempre decía aquellos primeros domingos: «Estás muy delgado, R. ¿Sigues llevando esas contabilidades por las noches?» «Tal como está la vida, tía...» «Tú sabrás, hijo, pero no se puede forzar la máquina. Margarita, tú debías impedirle que trabajara tanto»... Y con la frente pegada al ventanal sobre la calle elegante, el pensamiento de R repetía obediente: «Es tan buena, me ha favorecido tanto, la quiero tanto...».

No, R no quería pensar en otra cosa; no quería ver lo que tenía delante. Pero una mujer —inexplicable en tal calle— cargada con una bolsa y que se apoyó a descansar en la verja del sanatorio le recordó a su Margarita en una «cola». Un niño con un ama bien ataviada le trajo la visión de su pequeño. Y cuando se revolvió de la ventana e intentó pasear por la salita sintió tan insinuante el silencio, tan apropiado el escenario, que se refugió otra vez en la ventana, repitiéndose su estribillo: «Le debo lo que soy; me quiere mucho; lo sentiría de verdad...».

Entonces se abrió la puerta. De golpe, como correspondía a la salida del famoso cirujano, desenguantado ya y sin mascarilla.

—¡Magnífico!— exclamó con su vozarrón de hombre a quien le van bien las cosas—. Ya está pasado el peligro. En seguida podrá ver a su tía.

—Ah... Voy... Gracias, doctor... Voy a telefonear ahora mismo a mi mujer.

Pero en el oscuro descansillo de la escalera se detuvo: en casa no tenían teléfono. Que nadie le pudiese mirar a los ojos durante unos momentos. Eso era. Nada más.

1951

Fantasía de Año Nuevo

Enormes globos de luz y encendidos anuncios en las fachadas llenaban de fuego el último crepúsculo de diciembre. Los timbres de los cruces y el estrepitoso tráfico atizaban la circulación por aquel gran canal de cemento y asfalto que era la avenida. Y las enormes puertas de oficinas y almacenes derramaban muchedumbres en busca de un aturdido final de año.

Daniel trataba de caminar despacio. Se detenía en los escaparates de las librerías. «Introducción al estudio de las lenguas caucásicas», «La cría del cerdo», «Diagnóstico del cáncer», «Dos muchachas alegres» (novedad). Después pasaba rápidamente ante la luz de tubos azules sobre una gradería de artículos de piel y sobre un despliegue sensual de ropa femenina. Luego volvía a retenerle un comedor delicioso, con todos los detalles; hasta con la botella y las copas sobre la mesita. «¿Para quién aquellas flores solitarias sobre la chimenea?», pensó un instante.

Frente a la puerta del Gran Hotel se detuvo un automóvil, del que descendió un caballero. Al fondo del coche, durante la breve despedida, los focos del

131

hotel hicieron emerger de las sombras, en repentino primer plano, una rodilla femenina. Daniel detuvo allí su mirada, donde la redonda caricia de la luz en la seda creaba una intensa presencia de lo vivo en medio de la exasperación mecánica.

Más allá fueron los iluminados balcones de la casa de modas. Daniel dobló la esquina y, como siempre, se deleitó en el contraste ofrecido por las ventanas del semisótano, por donde veía —mujeres miserables encorvadas en el taller sobre la aguja— el envés de los dorados y las sedas. Al frente, la oscura calma de la callejuela desierta se adentraba en las tinieblas del barrio universitario, por el que Daniel solía pasear antes de recogerse para revivir el añorado ritmo provinciano. Pero aquella noche también allí el cielo estaba caldeado. Una puerta de taberna se abría de pronto, despidiendo luz sucia y humanidad ebria; una nerviosa carcajada de mujer estallaba en un rincón oscuro... Daniel se apresuró hacia su portal, donde una pareja, sorprendida, le lanzó doble mirada cínica. Arriba, en el pasillo, hubo de pasar junto a Sarita, colgada del teléfono en una de sus provocativas charlas con ese novio que la engaña sabiéndolo ella. Durante la cena, en la charla de amarillenta luz del comedor, la patrona le preguntó:

—¿Usted no sale? Pues sus compañeros se han ido por ahí a comer las uvas.

«A morder la manzana», tradujo Daniel mentalmente. Y se retiró cuanto antes a su cubil. Allí, desde la ventana, se sosegó recibiendo el aire frío de la noche y mirando el cielo, al fin tranquilo. Enfrente brillaba la infatigable luz en la buhardilla del traductor, nunca apagada antes de que Daniel se durmiera.

La última acción del día fue, como siempre, arrancar la hojita del calendario que había traído de su casa. «La última del año», suspiró.

Pero no; no era la última. Estupefacto, comprobó que tras la del 31 de diciembre quedaba otra, una hoja en blanco. Pasada la sorpresa, dejó de darle importancia; sin duda, un mero error de confección. Pero al meterse en cama se abrieron las vidrieras de la ventana como por golpe de viento, inexplicable en la casi congelada noche. Se levantó a asegurarlas y vio, asombrado, que la luz del traductor estaba apagada. Purísimas estrellas reinaban sobre el mundo.

La criada le despertó por la mañana llamando a la puerta. Entró.

—Acaban de traer esto para usted, señorito, y han dicho de pasárselo en seguida.

—¿Quién era? —preguntó Daniel, empezando a desenvolver el largo envoltorio.

—Una muchacha. Se ha marchado ya.

La criada se retiró, y Daniel creyó estar soñando al ver entre sus manos el bastón. Era el que admiraba todos los días en el escaparate del anticuario. Sí, el mismo puño tallado en cabeza de perro. ¡Cuántas veces había deseado tener el dinero suficiente para permitirse la compañía de aquel bastón! Porque el desconocido artista había realizado una talla original y prodigiosa. El perro era tuerto; tenía un solo ojo, fiel, soñador, resignado, un poema triste. Y Daniel se enternecía ante aquel mutilado mirar, acorde con su ánimo.

Pero ¿quién podía enviárselo? Nadie sabía lo que aquel bastón era para él. Entonces recordó la extraña hoja del calendario —allí estaba el día en blanco— y su corazón dio un salto. Poco después salió a la calle. Su mano se apoyaba en la cabeza del perro; el punteo del bastón sobre la acera le acompañaba como un trotecillo fiel.

La ciudad parecía desierta y envuelta en sumiso recogimiento. Sobre el ancho paseo a la orilla del mar el delicado sol invernal dibujaba sombras alargadas, finas. Los veladores de un café habían quedado melancólicamente abandonados. Sólo dos transeúntes caminaban despacio, casi fantasmales. Uno parecía llevarse el pañuelo a los ojos. Los ramajes de las acacias conmovían con su exquisito encaje y su austera desnudez. El aire frío y puro acababa de hacer dichoso a Daniel, que caminaba ligero como por una ciudad de sueño, de sus sueños.

De repente, un automóvil, al pasar velozmente junto a él, quebró el hielo de un charco y le salpicó. Apenas se había dado cuenta Daniel cuando el coche ya paraba, y apenas había empezado a descender de su felicidad y a indignarse cuando la persona que conducía llegaba ya junto a él.

Al verla fue incapaz de protestar. Una muchacha rubia, tan deliciosa como las que él soñaba despierto. Vestía pantalón gris, jersey amarillo y chaquetón azul marino.

—Perdone —dijo, y se echó a reír sin mala intención—. ¡Cómo le he puesto! Venga conmigo. Repararé la catástrofe.

Daniel protestó. No era necesario. Todo se arreglaría.

—¿Cómo? —insistió ella—. No es molestia ninguna ni me costará nada. Le indemnizará la casa.

Y al decir esto señaló al automóvil. En la trasera del magnífico cabriolet gris perla un letrero rezaba: «Eva Turmansky. Modas».

La sorpresa de que ella trabajara incapacitó a Daniel para continuar negándose. ¿Era posible que aquella muchacha se ganara la vida trabajando y estuviese, por tanto, tan próxima a él? Un estremecimiento le invadía mientras ella explicaba:

—Exhibo modelos deportivos, llamando la atención en el coche todo lo que puedo. Esto de salpicar a alguien y llevármelo conmigo es un truco que repito mucho. Claro que ahora no era para llamar la atención, puesto que no había nadie. Pero justamente al verle...

Guardó silencio para tomar un viraje muy cerrado. Rodaban ahora por las elegantes calles del barrio Sur. Daniel se extrañaba de no ver a casi nadie. Ni trasnochadores retrasados, ni borrachos, lecheros o barrenderos. Era como tener la ciudad para ellos solos, mientras hablaban y gozaban de la velocidad. El coche se detuvo ante un antiguo palacete en cuyos balcones se leía el nombre de la casa de modas.

—Pero hoy no habrá nadie —dijo él meticulosamente.

—Tengo llave —replicó ella—. ¿Cómo te llamas? Yo, Iselina.

—Daniel —respondió.

Sin saber por qué le parecía natural ser tuteado y no decir el apellido.

Cruzaron las adornadas salas de exhibición, entraron por una puertecita junto a la de salida de las modelos y atravesaron el vestuario, lleno de prendas femeninas y de magníficos vestidos abandonados sobre las sillas. Más allá estaban los talleres, con sus alargadas mesitas bajas llenas de trapos, las sillitas a uno y otro lado, las bombillas colgando hasta casi encima de las mesas y envueltas en conos de papel, y los bastidores verticales con los alambres para poner los carretes de hilo.

—Pasa aquí al lado y elige un traje —dijo Iselina—. Yo también me voy a cambiar. Iremos a comer juntos. ¿Quieres?

La corriente que arrastraba a Daniel era irresistible, aunque nada violenta. Se sentía como en una barca, quietos los remos, descendiendo dulcemente por un río de orillas exquisitas. Apenas había terminado de ponerse un traje oscuro cuando ella reapareció. Vestía un traje sastre negro, cuya severidad compensaba el gracioso sombrerito. Se había peinado exactamente como a él le gustaba: con el cabello echado hacia atrás y recogido en dos moñitos, como Ann Harding en cierta vieja película. Le encantaba un peinado tan serio en una cara muy joven.

135

—¿Estás listo?

—¿Cómo me encuentras? —preguntó Daniel.

—Bien. Acaso, las mangas algo cortas.

Y mientras las estiraba y las dejaba bien, como si el traje fuera elástico, añadió:

—Pero necesitas otros zapatos, un sombrero y un bastón... No, ese que llevas es precioso. ¡Qué cabeza de perro más conmovedora!

—¿Verdad? —contestó Daniel.

Y cuando ella le dejó totalmente arreglado, hasta a él le pareció que podía acompañarla sin desentonar.

Y otra vez el paseo por las anchas calles casi dormidas, hasta que Iselina frenó ante la puerta del Gran Hotel. En el inmenso comedor aún no había nadie. La plataforma de la orquesta estaba desierta. Los camareros se movían despacio, en silencio. Escogieron una mesita con el hueco de un ventanal.

—¿Esta comida la paga también la casa? —preguntó Daniel cuando se hubo retirado el «maître».

—Podría pagarla. Pero será más sencillo que el hotel nos invite. No hace falta más que un poco de impertinencia. Bueno, ¿qué te parece esto?

—Ahora me gusta, silencioso y sin nadie. Pero al anochecer, cuando los negros tocan, es demasiado... violento, cargado...

—¿Tú vienes?

—Veo la orquesta desde afuera, nada más. Y las luces, y las mujeres que vienen. Ayer mismo...

Vaciló un momento. ¿Ayer...?

—Bueno, hace poco —continuó— pasé por la puerta cuando se paraba un auto con una mujer.

—¿Hermosa?

—Sólo vi su rodilla. La luz del foco, el borde del vestido, la seda, su rodilla... Era... lo sugería todo.

—Comprendo. Pero «todo», ¿es para ti algo más?

Daniel la miró con sorpresa y meditó un instante.

—No; tienes razón. Seguramente, «todo» es eso: que esté sugerido. Yo...

Pero las ostras llegaron a la mesa. Tenían magnífico aspecto. Sin embargo, Iselina las examinó críticamente.

—¿No tienen otras? —preguntó al camarero.

—Son excelentes, señora. ¡Fresquísimas!

Iselina no contestó, como si no tuviera intención de discutir. Se limitó a decir, con frialdad que fingía querer ser condescendiente:

—Prefiero otra cosa. Traiga... caviar. Si es bueno, ¿eh?

El camarero se llevó las ostras y Daniel le vio hablar con el «maître».

—Ya todo irá bien —dijo Iselina en voz baja—. No hay más que enseñar un poco los dientes.

Efectivamente, el «maître» no cesó de vigilar personalmente el servicio de aquella mesa. Cuando terminaron, Iselina pidió la cuenta.

—Habitación 203 —dijo.

Y cuando trajeron la nota firmó tranquilamente. Todo fueron inclinaciones y sonrisas en el servicio.

—Pero ¿vives aquí? —preguntó luego Daniel.

—No. ¿Qué saben éstos? Ya te dije que era muy fácil.

—Al menos, lo parece. ¿Y no sospechan nada?

—¿Cómo van a pensar que una persona impertinente no pueda pagar? Es cuestión de aplomo.

—Pero ¿y si esa habitación estuviera vacía y ellos lo supieran?

—No está vacía. Al entrar he visto en la conserjería que debajo de ese número no estaba la llave. Es lo único en que hay que fijarse.

—Entonces, esto lo puede hacer cualquiera.

—Cualquiera bien vestido. Y que adopte el aplomo que da el dinero, aun sin tenerlo.

«No —pensó Daniel—. No podía hacerlo cualquiera.» Pero, en realidad, resultaba muy fácil superar aquel mundo de Gran Hotel que a él siempre le pareció inalcanzable. Bastaba con no dejarse impresionar, con vencer previamente dentro el propio ánimo y contemplar el escenario no como se ve desde las butacas, sino como aparece desde bastidores, donde la piedra es percalina y el oro pintura. ¡Con qué tranquilidad vería desde ahora la rodilla de cualquier elegante! Sí, y hasta la caricia de la luz en la seda.

—¿Te sorprende que sea tan fácil? —le interrupió Iselina—. Pues ahora verás qué casa nos vamos a encontrar para tomar café. Con sus buenas butacas y su buen fuego.

De nuevo el automóvil en la exquisita ciudad. Esta vez se detuvo en una callejuela paralela a la avenida. Entraron en un portal oscuro hasta una puertecita. Iselina tanteó en un hueco alto y sacó una llave. Abrió, hizo entrar a Daniel y encendió la luz.

Estaban en un recinto lleno de embalajes y cajones; algunos, abiertos, dejando escapar papel, virutas, serrín. Muebles, juguetes, porcelanas, tapicerías, herramientas, cacerolas y artículos dispares se alineaban en largos mostradores. Un montacargas ocupaba un rincón.

—Es la sección de entrada en los Almacenes Lub —dijo Iselina—. Mi madre trabajaba aquí, en la limpieza, y yo empecé de dependienta, antes de ser modelo.

Cruzaron las grandes salas de la planta baja, hasta llegar a unos tabiques de madera con puertecitas. Iselina abrió una y la volvió a cerrar. Después probó con otras. Al fin, llamó a Daniel, que entró por ella en una habitación deliciosa, con butacas de orejas y un diván frente a una chimenea, que Iselina se disponía a encender. Dos lamparitas encendidas difundían intimidad. Junto a una butaca, coñac francés y copas.

—Uno de los escaparates —explicaba Iselina de rodillas ante la chimenea—. Con el cierre metálico nadie nos ve ahora. Vigila este fuego; yo voy arriba a buscar la maquinilla, el café y las tazas.

Por un instante ambos estuvieron arrodillados ante la chimenea como ante un altar. El dorado cabello de Iselina quedó maravillosamente próximo a la mejilla de Daniel. Luego, ella salió, y no tardó en volver con lo necesario. Daniel ya no se atrevió a preguntar si es que en los almacenes no había ningún guarda. Era evidente que para ella nunca existían dificultades.

Ni tampoco junto a ella. Daniel vivía a pleno pulmón. Sin turbación ninguna, sin temor a entregarse. Sólo un momento se sintió alterado. Cuando al levantar una cortina descubrió que el escaparate de al lado era una alcoba, hasta con la cama abierta y todo dispuesto. Desde aquella frontera, durante unos segundos, Daniel miró con ojos nuevos, incipientemente adultos, codiciosos. Ella sostuvo la mirada. La sostuvo exactamente como él la deseaba, a salvo de los riesgos que se agazapan más allá de la sangre desenfrenada. Y la cortina fronteriza volvió a caer definitivamente.

Desde entonces el tiempo dejó de pasar. Los leños ardían sin consumirse, y con su luz sin mudanza las lamparitas prolongaban indefinidamente el mismo instante, protectoras como árboles del Paraíso. Daniel llegó, por fin, a no estar solo.

Por eso no le fue difícil la separación cuando la despedida maduró desde ellos como fruto desde la rama.

—¿Dónde nos veremos mañana? —preguntó Daniel.

—¿Mañana? —repitió ella, muy lejos la mirada. Y añadió con voz que persuadía:

—Mañana, en cualquier sitio. Todos son buenos para encontrarnos.

Daniel calló un instante. Después:

—No salgas ahora conmigo. Haz que yo me vaya dejándote aquí, en medio de esto.

139

—¿Podrás marchar sin mí? —preguntó Iselina, casi más con la última sonrisa que con la voz.

—Ahora, sí.

Sí. Salió, y no le extrañó demasiado que el automóvil hubiera desaparecido. Y cenó tranquilo en el comedor de la pensión, porque la decoración con la encharcada luz amarillenta podía ser también buen sitio. Y antes de arrancar la hoja en blanco del calendario comprendió ya que era la última, que debajo había de aparecer el duro y eterno cartón donde se pega el taco de otro año para empezar otra vez. Sí, para empezar; la buhardilla del traductor estaba de nuevo encendida.

A la mañana, el bastón no se encontraba sobre la silla, naturalmente. Era otra de las cosas que ya esperaba Daniel. Se vistió despacio, sin más desaliento que el cansancio de aquella sabiduría, y bajó a la calle.

Aunque era día festivo, el viejo anticuario estaba a la puerta de su tienda, contemplando una miniatura bajo el cierre medio echado. Daniel le saludó y se atrevió a la pregunta que nunca había osado antes:

—¿Cuánto vale ese bastón del escaparate, ese con una cabeza de perro?

—¿Cuál?

Entraron y señaló el bastón. El anticuario lo examinó y después miró a Daniel por encima de las antiparras, como si lo viera por primera vez, como si no pasara todos los días delante de su puerta. Súbitamente, como por ajena inspiración, le dijo:

—Lléveselo, si le gusta.

Y como para explicarse ante sí mismo aquella extraña decisión, añadió:

—Así los dos empezaremos bien el año.

Daniel le dio las gracias y echó a andar. Le acompañaba el trotecillo fiel y oprimía en su puño —corpórea, sólida, verdadera— la llave de los sueños.

1951

Un puñado de tierra

Como era temprano para ver a mi amigo me senté a esperar en un banco. El jardín parecía de suburbio, aunque no había desconchaduras en los altos muros, ni herrumbre en la verja, ni demasiado polvo sobre las hojas. Ningún hombre cansado se derrengaba contra la tapia, pretendiendo abrigarse todo el cuerpo sólo con una bufanda. Cada cosa parecía normal. Pero, sin comprender uno por qué, solamente lo parecía; no lo era.

Un hombre bajito con aire de profesor —pero como de profesor perseguido— se sentó en el otro extremo de mi banco. Permaneció un instante casi absorto, con la mirada baja. De pronto se agachó y cogió un puñado de la pobre tierra que pisábamos. Primero se la pasó lentamente de una mano a otra como si fuera polvo de oro; después la dejó en el cuenco de la palma y empezó a acariciarla con los dedos de la otra mano. Pero al sorprender en mis ojos el asombro, cerró en el acto el puño y lo ocultó tras su costado, adoptando una postura convencional.

—Espero no haberle molestado —dijo con voz circunspecta.

—En absoluto —respondí—. No tiene usted por qué disculparse.

Guardó silencio y luego quiso explicar:

—Quizá le haya extrañado. Es que mis actuales trabajos...

—¿Ah, sí? —me creí obligado a añadir.

Asintió con la cabeza y, acercándose a mí, abrió la mano.

—Mire —dijo persuasivamente.

Contemplé aquellas partículas de pisoteada tierra.

—¡Tierra! —exclamó, como si hubiera querido lanzar un gran grito en voz muy baja—. ¡Auténtica tierra!

¿Estaría loco? Le miré con más atención, pero no lo parecía.

—Auténtica tierra —continuó, más calmado—. Descubierta por mí. Cada día sé mejor cómo es la tierra.

¿Loco o, simplemente, profesor estrafalario? Me entró curiosidad.

—¿Por qué no manda analizarla, si quiere saber cómo es?

Me miró con superioridad condescendiente y algo pueril.

—¡De ningún modo, caballero! Eso, para los químicos. Nada de análisis. Lo que quiero es la tierra. Acercarme a ella todo lo posible. Vivirla. Al revés que destruirla, que descomponerla en fórmulas y en tantos por ciento.

Era razonable, pero extraño. ¿En qué se ocuparía? ¡Y el anacrónico «caballero», tan acorde con su aire de profesor oscuro!

—Lo mismo que la hoja —continuó, mientras sacaba del bolsillo una cajita de pastillas para la tos—. ¿Ve usted? —En la cajita yacía una ovalada y neta hoja de evónimo, enarcando el charolado haz verde, con su limpia nervadura central—. Necesito también acercarme a esta hoja, y luego al árbol, y luego

142

al bosque. ¿Para qué la iba a mirar por un microscopio? Las células no son una hoja. Y, además, ni siquiera serían células, sino imágenes ópticas, luces con sombras... Y lo que yo quiero es la hoja.

—Comprendo —dije, cada vez más interesado.

—¡Claro que sí! ¿Fórmulas? Para vivir lo que importa son las hojas y la tierra. Y otras cosas: agua, madera, pan, flor... Las hay más difíciles: arroyo, noche... Pero todo es cuestión de abrazarlas, de no dejar que interpongan los tabiques, de acercarse cada vez más.

—Pero, todo eso, ¿para qué?

—¿Para qué? —Hizo una pausa y dejó caer sus palabras con misteriosa solemnidad—. Para llegar al mundo auténtico.

—¿Al auténtico? —repetí volviendo a dudar de su razón.

—Eso. Al mundo de primer grado.

—No comprendo bien.

—¿Tiene usted automóvil? Perdone si soy indiscreto.

—No es indiscreción —repuse. Y, pensando en el tren suburbano de las mañanas, añadí melancólico—. No, no tengo.

—Pero, ¿vive usted en la ciudad?

—Sí —contesté, mientras recordaba a mis dos pobrecitos hijos, estrellándose en sus juegos contra la jaula del sombrío pasillo de casa.

—Pues coja usted al hombre. En medio de la Tierra, al aire libre. El hombre creciendo en el mundo creado para él; en el mundo de primer grado. Pero ahora estamos entre muros de cemento y el asfalto nos separa de la Tierra. Y nos ahogamos: ¿Se acuerda usted de Anteo? Las cosas verdaderas están detrás; allá lejos. No nos abrazan y sólo las vivimos indirectamente, desde un mundo de segundo o de vigésimo grado.

Yo no había oído hablar nunca de Anteo, pero

quedé pensativo. Sí, pasaban meses enteros sin que yo pisara la tierra. Había hecho falta venir a ver a mi pobre amigo para encontrarme en un jardín. Comprendí que aquel hombre acariciase su puñadito de tierra. Pero él ya continuaba apasionadamente.

—... millonario? Una casa como estuche de aire artificial. Ni calor ni frío; filtros y purificadores que estrangulan a la menor brisa viva, así, y sólo dejan entrar el cadáver. De la casa al estuche del auto y del auto al de la oficina. Viajes de hotel en hotel, de avión en avión... ¿La variedad del mundo? Asesinada... La danzarina sagrada de Bali sólo piensa en el producto de su exhibición... ¡Ni siquiera la Naturaleza es ya de primer grado! La cascada no es admirada por el caminante, sino por los turistas del hotel plantado enfrente, mientras oyen la radio y proyectan su próxima reunión a mil kilómetros. Frente a otro paisaje, del que seguirán aislados por tabiques y tabiques. ¿No es trágico que quienes llevan el timón de la Historia (aunque no el viento) estén cada vez más lejos del mundo verdadero?

Mientras habló, mi encantamiento me impidió observarle. Después se me apareció transformado. Resplandecía su rostro como si transparentara una poderosa luz interior.

—¿Usted vive en él? —pregunté humildemente. Disminuyó su fuerza radiante. Pero, justamente por aparecer así más humano, convencía más. Sonrió con mansedumbre.

—No, todavía no. Resulta lento: Pero no hay que desanimarse.

Me reconforté al oírle: no había que desanimarse.

—Al menos —continuó— me acerco al primer grado. ¿Para quién sería un tesoro mi hoja de evónimo? Sólo para un niño, en cambio, los otros... Cada día más lejos... ¿Y lo de las casas prefabricadas con moldes sacados de una casa de verdad, reproduciéndola en plásticos de ésos, como se reproduce un busto en escayola? ¿Y el microfilme? Ahora, además de la imprenta, entre el creador y el lector se interponen la máquina de escribir, la cámara fotográfica y la ampliadora para leer... ¡Tabiques, tabiques, tabiques! Su frente resplandecía otra vez. Oyéndole, yo me perdonaba mi cotidiano vivir embrutecido, y además me enriquecía con una ilusión: el mundo de primer grado. Era tan sencillo y tan maravilloso que hasta recuperé algo perdido mucho tiempo atrás: mi sonrisa. Allá en el horizonte, mi casa no estaba rodeada de cemento y asfalto, sino de tierra verdecida; y mis hijos corrían libres, por un jardincito. Ya no sólo comprendí el acariciamiento del puñado de tierra, sino que me incliné para hacerlo yo mismo.

En ese instante fue cuando llegaron los dos hombres de las batas blancas. ¿Cómo no percibí sus pasos hasta que no estuvieron sobre nosotros? Sus dos sombras cayeron sobre mi maestro como las de siniestras nubes en un campo feliz. Quedó aplastado, sin atreverse a mirarme, y apenas pudo mostrar una sonrisa como de niño que intenta vanamente disimular su travesura.

Sin embargo, ellos no podían ser más amables.

—Tomando el sol, ¿eh? —dijo el más alto.

Mi interlocutor se aferró a su lastimosa sonrisa.

—Vamos, vamos —dijo el otro—. Es hora de entrar.

Al hombrecito le naufragó también aquella sonrisa. Se levantó, ya con todo su aire de oscuro profesor.

—¿Qué es eso? —habló otra vez el primero, mirando el cerrado puño—. ¿Otra porquería? Vamos, tírela. Usted ya está bien y no debe hacer esas cosas.

El pobre puño, perdida toda su fuerza interior, se relajó poco a poco y la tierra volvió a la tierra en breve lluvia polvorienta. El más alto echó a andar hacia la casa y el hombrecito marchó a su lado. No me miró. No me había vuelto a mirar desde que llegaron aquellos dos. El otro me preguntó en voz baja:

—¿Le ha molestado a usted, señor?

Como yo sentí un nudo en la garganta, sólo pude mover de un lado a otro la cabeza.

—Me alegro. Porque el señor director dice que tiene ideas peligrosas.

Y llevándose la mano a la gorra para saludarme, alcanzó a su compañero. Entre ambos, el hombrecillo era más pequeño que nunca, con sus manecitas desesperadamente entrelazadas a la espalda.

Yo también me sentía empequeñecido. Mis hijos aleteaban otra vez en vano contra los muros del pasillo sombrío, sangrando por el herido cráneo y por las manitas amputadas. Al cabo de un rato, un gran esfuerzo me permitió levantarme. Abandonando a mi amigo —¿cómo ver a nadie ya?— me dirigí a la salida y trapuse la puerta bajo la escrutadora mirada del portero.

Y cuando el cerrojo rechinó a mi espalda tuve la sensación de que era porque me acababan de encerrar a mí. Contemplé mi cárcel —asfalto, cemento, ruidos inhumanos— y eché a andar. Despacio, con la cabeza baja y un gran peso en mis hombros.

1951

El hombre fiel

Cuando el retumbo de la batalla dejó de oírse, los aldeanos de Matkowicze (que los unos llaman Matkorovo y los otros Matkoburg) salieron de su escondite. Muchas veces habían temido que las divisiones les arrollasen en su maniobra, pero siempre les tranquilizaba el viejo patriarca. «El bosque es inmenso —decía, oyéndosele apenas la débil voz a través de la barba— y los pantanos intransitables. No nos encontrarán.»

Como siempre, las palabras del padrecito se cumplieron. Así es que se santiguaron, primero el hombro derecho y después el izquierdo, y emprendieron el regreso. En medio llevaban al anciano sobre unas parihuelas. Encontraron grandes árboles tronchados por la guerra y algún tanque desventrado, medio sumergido en las aguas pantanosas que bordeaban el camino. Pasaron junto a rígidos peleles humanos llenos de boquetes y desgarrones, como espantapájaros derribados, y cruzaron algún claro calcinado, con restos humeantes entre los árboles tiznados. Pero, en general, el bosque era el de siempre. Las altísimas ramas se elevaban al cielo y cobijaban el misterio profundo de las aguas estancadas, medio cubiertas de verdín y hojas muertas, que descubrían a trechos sus negros reflejos y cargaban el aire de olor a corteza, a helechos y a engendradora podredumbre.

Al acercarse al lindero, los hombres menos viejos corrieron impacientes. Pero algo les dejó clavados bajo los últimos árboles. Allí se les reunieron los demás, congregándose todos en un tembloroso grupo enfrentado con la inmensidad de la llanura. Ahora sí que no había nada que hacer.

Varias veces habían pasado ya los unos persiguiendo a los otros o a la inversa. Todos requisaban algo —grano, ganados, aperos, enseres— y después de cada batalla la aldea aparecía ante los campesinos con algunas casas en ruinas y otras tocadas por la metralla. Cuatro o cinco familias se habían anonadado cada vez ante su hogar irreconstruible y, tras de obtener la bendición del patriarca, habían emprendido lentamente el camino de la ciudad donde, según el oficial de la Propaganda, había trabajo y comida. Pero los demás continuaban viviendo en torno a la iglesia —o almacén de granos, según el color del camión de la Propaganda—. Capturaban las reses huidas, restauraban los sembrados y, gracias a víveres ocultos no descubiertos por los soldados, conseguían sobrevivir hasta la nueva cosecha o hasta la nueva batalla. Preferían pasar hambre en su tierra, en la aldea fundada siglos atrás sobre el terreno conquistado al bosque por sus antepasados.

Aquel grupo humano, cada vez más reducido, había logrado siempre salir adelante. Pero ahora no había remedio para las últimas familias. La batalla se había centrado en la aldea y sólo había dejado un montón de ruinas. Entre los maderos humeantes apenas se erguían algunas chimeneas. Enormes cráteres de proyectiles despanzurraban el terreno. Y, por encima de las ruinas, la guerra había dejado, como marea que se retira, sus propios despojos: restos de armamento y pertrechos, vehículos destrozados, fragmentos y montones de cadáveres, cascos de proyectiles... Era un caos inmóvil sobre la llanura. Hubiera podido decirse que todo estaba así desde siglos atrás, en la serena tarde, si no fuera por el humo de los rescoldos, subiendo en casi mística voluta hacia el puro azul del cielo.

Una catástrofe total. Y por eso esta vez no lloraban, no sentían horror, no acababan de meter bien en sus cabezas lo sucedido. El patriarca, que nada podía ver desde su yacija, chilló como niño enfadado:

—¿Qué hacéis aquí parados? ¡Quiero estar en mi cama!

A ningún campesino se le hubiera ocurrido desobedecer al patriarca. Avanzaron hasta las ruinas y dejaron las parihuelas donde unas esparcidas briznas de paja recordaban el sitio ocupado seis días antes por el jergón del anciano.

Entonces el padrecito pudo ver la desaparición del techo y de las paredes. Trató de incorporarse y le faltaron las fuerzas. Dorenka quiso ayudarle pero él hizo señas de que le dejaran en paz. Clavó la vista en un montón de cascotes y con el brazo derecho tanteó alrededor. Al encontrar el cazcarrioso cubo de llevar la comida a los cerdos brilló en sus ojos una chispa de júbilo y lo abrazó contra su pecho, acariciándolo con las descarnadas manos.

Entretanto, en medio de un corro de mujeres asustadas, los hombres discutían despacio, entontecidos. Casi todos querían marcharse. La Propaganda había dicho muchas veces que en la ciudad había comedores para la gente y así tenía que ser, puesto que allí no hay sembrados ni animales. Sólo dos o tres se empeñaban aún en permanecer. No sabían cómo ni para qué, pero era la aldea, era la tierra. Era, además, el padrecito. No se querría marchar y

¿cómo lo iban a dejar? Pues habría que convencerle mostrándole las ruinas y los campos arrasados.

Piotr se acercó al patriarca, que ni le miró, aferrado al cubo de los cerdos. Una pequeña sonrisa se le escondía en la barba como un arroyo entre retoños de abedules blancos. Todos le rodearon y Piotr se atrevió a tocarle el hombro. El padrecito no se movió. Había muerto, sabe Dios en qué momento de aquella tarde apacible. Sin decir nada, sin recomendar nada, sin bendecir. Sin morirse, en fin, como muere un cristiano.

Y entonces, hasta los obstinados sintieron angustiada prisa por marcharse. Fueron al cementerio, pero era tan pequeño que una sola bomba había bastado para deshacer las cuatro tapias, esparcir los huesos por el campo y dejar allí un embudo sobrecogedor. Aquello fue decisivo y, sin saber ya lo que hacían, enterraron al anciano en cualquier parte, en medio de la única calle. Las mujeres lloriquearon pensando que así no se entierra a un hombre, sin lavarle ni ponerle la mortaja bendecida. Otros, entre tanto, habían descargado de proyectiles el avantrén de una pieza de artillería ligera y lo cargaban de enseres para llevarse todo lo posible.

Sólo un hombre permanecía inmóvil, sentado sobre unas piedras de lo que fue su casa. Cerca, todo era destrucción e imposibilidad de subsistir. Pero cuanto más se alejaba la vista sobre los campos, más podía creerse que no había pasado nada.

El hombre se levantó y echó a andar. Su rostro carecía de expresión; los rostros campesinos expresan pocas cosas. Se alejó de la aldea y llegó hasta dos postes de madera. Antes sostenían el balancín para sacar agua del pozo; ahora el largo palo yacía por tierra partido en dos. El hombre se rascó la cabeza. Tampoco podía comprenderlo.

Desde allí miró las ruinas. Al confundirse con la tierra no parecían tan feas. Dio un rodeo para regresar y se detuvo junto a un ribazo. Evocó claramente la suave, cálida, noche estrellada en que allí mismo, volviendo de un baile algo ebrios y muy felices, había hecho suya a la moza con la que luego se casó, claro está, como hombre de bien que era. Allí mismo fue: los centenos ya maduros cedieron blandamente y ocultaron sus cuerpos. Entre los tallos húmedos de rocío los crispados dedos estrujaron aquella noche un terrón de la negra tierra que les sostenía sobre su espalda, que les nutría con su savia. El hombre se agachó ahora, volvió a erguirse y permaneció un rato mirando lejos, mientras sus toscos dedos desmenuzaban un terrón al que quería acariciar.

Volvió rápidamente pasando junto al cementerio. Pero ella no estaba allí, a causa de aquella bomba. Cabizbajo, siguió hasta la aldea, con la terca lentitud de la bestia uncida a la noria. De pronto sintió tras él pisadas presurosas. Un vecino venía a decirle que llevaban un buen rato llamándole; que se marchaban. En realidad, los demás ya habían emprendido el camino: los hombres tirando del avantrén, las mujeres alrededor con los hatillos. Era preciso alcanzarlos.

—Yo me quedo —dijo el hombre.

El otro le miró y percibió su obstinación. Conocía bien la tozudez en las gentes de su aldea. Y no era cosa de perder el tiempo, pues los otros se alejaban y la noche se echaba encima. Así es que le dijo adiós, esperando que se reuniría con ellos en la ciudad. Pero antes, como sentía un inexplicable remordimiento, le puso en la mano una pulgarada de tabaco.

El hombre los vio alejarse. Largo rato pudo aún contemplar sus siluetas en el horizonte, hasta que se confundieron con la llanura. No tenía pensado nada. De su casa quedaba sólo un rincón donde los maderos permanecían en pie hasta la altura del hombro, junto a la chimenea de piedra. Allí improvisó un tejadillo y debajo preparó una yacija. Luego vagó entre los solares calcinados y recogió algunas mazorcas de maíz. Cada vez que pasaba, por lo que fue calle, ante la tumba todavía reciente del patriarca pensaba lo mismo: «No lo debían haber enterrado aquí. Luego estará siempre pisándole la gente».

Encendió fuego en su chimenea, sin saber muy bien para qué. Echó de menos un traguito, pero al menos podía fumar una pipa. Y arrimó unas mazorcas a la lumbre.

Un camión llegó tambaleándose sobre los baches. Era de la Propaganda, pues traía una enorme bocina sobre el techo. Un comisario saltó a tierra, seguido por otros hombres uniformados. Se acercaron al caído poste con el rótulo del nombre de la aldea y empezaron a cavar un agujero para hincarlo de nuevo.

El comisario caminaba mirando a su alrededor. De pronto, algo en el suelo atrajo su atención. Hurgó con la bota y se agachó a cogerlo.

—¡Una bala explosiva! —dijo—. ¡Canallas! —Pero añadió casi en el acto, tirándola con indiferencia—: ¡Bah, es de las nuestras!

Entonces percibió al hombre y se le acercó.

—¿Y tus compañeros? Ya no tenéis nada que temer. Ya estáis liberados.

—Se han ido.

—¿Se han ido?

—A la ciudad. La Propaganda dice que allí hay comida.

—¿Y tú, por qué te has quedado?

—No lo sé.

«Estúpido», pensó el de la Propaganda mientras sacaba un cigarrillo. «Es curioso —notó mientras tanto el hombre—. Es un cigarrillo como los de los otros; unos largos que fuman los generales. Y los dorados que lleva en el gorro, y sus gestos, y lo que dice. Si no fuera por el color del camión, no se sabría si éste era de los unos o de los otros.»

El comisario echó otra ojeada al pueblo, tomó

unas notas y se volvió al camión. Al pasar gritó a sus hombres:

—¡Eh! ¡Dejad eso! ¡Nos vamos!

Ellos ya tenían el madero de pie en el centro del hoyo y se disponían a echar tierra. Lo dejaron suelto y el poste cayó al suelo pesadamente. En el ametrallado rótulo azul y blanco el nombre de la aldea estaba todavía escrito en el idioma de los otros. Al poco rato, el camión había desaparecido por el camino.

Mientras duró la pipa todo fue bien. El hombre solitario contemplaba el campo. Ya casi no quedaba luz sobre la tierra. A lo lejos, muy lejos, hacia donde debía seguir la guerra, un bosque ardía. «Nosotros nos quejábamos siempre de los pantanos —pensó— pero son de Dios. Sin ellos hubiéramos ardido en nuestro escondrijo.» Y miró al lindero del bosque, franja más sombría aún que la noche, como una barrera de misterio. Ráfagas frías surcaban la llanura desolada.

Pero cuando la pipa se apagó, el hombre que había quedado sintió dentro de sí como una bola que se hacía cada vez más pesada. Asustado, sin ánimo para morder las mazorcas ya tostadas, se envolvió rápidamente en una manta y cerró los ojos. Pero seguía viendo, seguía viendo. Y la congoja crecía, llenaba sus entrañas, le rebosaba por los párpados. Era un miedo indecible.

Y de miedo a aquel miedo, el hombre fiel se incorporó frente a la noche. Apoyó la espalda contra los restos de su casa, afirmó sus pies sobre la tierra, abrió decidido los ojos y con voz muy fuerte, muy fuerte y temblorosa, se puso a cantar.

1952

La isla sumergida

A Estanislao de Abarca

¿Quién se acuerda ya de Narootea? No hace tantos meses, sin embargo, de aquellas discusiones científicas y polémicas de prensa acerca de si vivían blancos en la isla y si su vida sería paradisíaca o miserable. Hasta que la misión oficial de la goleta Tasmania *sepultó la cuestión bajo su informe reglamentario.*

El informe sería irreprochable si no hubiera omitido ciertas notas de uno de los expedicionarios. Verdad es que existió unanimidad en ignorarlas, empezando por el diario neoyorquino patrocinador de la expedición, y cierto también que el autor desapareció misteriosamente —cosa siempre poco respetuosa—; pero dada su autenticidad innegable merecen ser conocidas. Por eso se publican a continuación, aunque me inquiete discrepar así de especialistas ilustres. Después de todo, tengo tanto derecho como cualquier otro a intervenir en la cuestión, pues figuro inscrito en el registro de nacimiento y no en el de defunciones, luego existo. Al revés que los tan controvertidos habitantes de la isla: que no constan en ningún libro y, en consecuencia, no existen. Seguidamente ofrezco las crónicas de aquel periodista, llegadas a mis manos de una manera extraña.

Nuni-Ova, octubre 3.—Esto no es el fin del mundo, como pensé cuando el periódico decidió enviarme. Es el principio de otro mundo. No a causa del paisaje, ya tan marchitado por los Somerset Maugham, sino de la gente. Es inconcebible que, viviendo tan cerca de donde debe estar la isla, el «caso» no les apasione como a nosotros. ¿Creen o dudan? Las dos cosas. A ratos, según convenga para discutir moderadamente sobre algo. Y soy el único a quien le emociona la contemplación de la *Tasmania*, flotando en medio de la bahía, dispuesta para zarpar.

¿Cuándo? Recién llegado, creyendo aún que la gente estaba pendiente de nuestra expedición, se lo he preguntado a un indígena en la playa. He tenido que repetir la pregunta, señalando a la goleta. Un chiquillo desnudo ha venido corriendo, orgulloso de su inglés de la Misión, y le ha hablado en su lengua. El nativo ha sonreído, contestando con una sola palabra. «Mañana», ha traducido el niño, sonriendo también. Pero luego he sabido que esa palabra, único vocablo indígena para el futuro, corresponde en realidad a un tiempo indeterminado. «Alguna vez»... «Será»..., viene a decir. Y los blancos de aquí la usan también a cada paso, rehuyendo la precisión de nuestro idioma.

Nuni-Ova, octubre 7.—Al fin, ya estamos todos. Ayer, en un hidroavión militar, llegó de Apia Mr. Morris, el funcionario que ha de informar oficialmente sobre la expedición. Le acompañaban dos personajes importantísimos: Mr. Lewis, profesor de Sociología en la Universidad de Scrapton y delegado de la S. S. N. (Sociedad de Salvadores de Narootea), y Mr. Siwel, doctor en Ciencias políticas por la Universidad de Westenburg y destacado antinarooteísta. Con ellos también miss Morris, hija del digno funcionario nacida de su matrimonio indígena con la heredera de un jefe isleño. Al presentarnos, sus grandes ojos cándidos me lanzaron esa mirada calibradora de estas muchachas polinésicas, cuya naturalidad resulta escalofriante. Esa mirada inocente, que en Nueva York consideraríamos tan experta.

Cenamos en casa del administrador, que quiere obsequiar a su colega. Después, a la luz de las antorchas, los nativos nos dedican una representación teatral, una parodia de los blancos. Actúa un viejo extraordinario. Muy serio, vistiendo una gran levita, va y viene con mucho nervio, muda papeles de un bolsillo a otro y, tras una palmada en la frente, como recordando algo, finge apuntarlo en sus legajos. Final: saca del faldón de la levita un despertador y exclama, según me traduce miss Morris: «Vámonos a comer. Ya es hora de tener hambre».

¿Somos así los blancos?

Nuni-Ova, octubre 8.—Mientras salimos —«mañana»— he convocado a los dos sabios para informarme bien. Ha sido difícil, porque ambos recelaban. Pero, al fin, los reuní en la galería del administrador. Desde mi silla veía la playa soleada, entre las cabezas de Mr. Lewis y de Mr. Siwel, enfrentados como abogado y fiscal de la isla. «Yo seré entonces Narootea», dijo miss Morris. Y se sentó en el suelo frente a mí.

Como se recordará, el «caso de Narootea» lo provocó un joven de gruesas gafas, al presentar su tesis doctoral en cierta Universidad del Imperio. Contra lo acostumbrado, el Tribunal la estudió escrupulosamente, porque su presidente era un jefe del partido federalista de la colonia, y, como el doctorando empezaba a destacar en el partido integrador, la tesis tenía que estar mal. Efectivamente fue rechazada, por afirmar que en cierta isla de Narootea se hallaba una población del mismo nombre, oficialmente no catalogada. El detalle podrá parecer nimio, pero, como dijo muy bien el presidente, una tesis es la defensa de una verdad ante hombres consagrados a la verdad.

Ahora bien, como el presidente del tribunal era federalista los prohombres integradores dedujeron legítimamente que la población de Narootea tenía que existir. Y, para ir acorralando a su contrincante con toda lógica, demostraron primero la existencia de la Tierra; después, la del Océano Pacífico; luego, la del archipiélago de Nuni-Hui o de la Prosperidad, y, finalmente, la de la pequeña isla de Narootea, no discutida ya ni siquiera por los antinarooteístas. Pues, aunque ni unos ni otros han estado en ella, la isla figura en cartas de navegación y hasta en ciertas leyes promulgadas por correligionarios del presidente del Tribunal. Y, lo que es más importante, de esas leyes resulta que alguna vez debió existir en Narootea una reducida colonia blanca. «Pero —gritó en seguida Mr. Siwel— solamente un loco puede sostener que esa colonia subsiste hoy.» ¿Por qué? Pues porque no figura en el estatuto colonial de 1 de febrero de 1920.

¡El Estatuto de 1920! Para, comprender la enorme fuerza de este argumento antinarooteísta, hay que tener presente la génesis del Estatuto, concebido después de la guerra para premiar a las fieles colonias con las ventajas de la moderna organización, redactado con cuantos recursos facilita la organización para lograr el éxito, y revisado hasta la perfección por todas las Academias y organismos. Luego discutir el Estatuto es discutir la Organización y si en sus anejos no consta la población de Narootea, es que esa gente no existe.

«Pues existe», contraatacó furiosamente Mr. Lewis, como si, más que salvar a unos seres humanos desterrados de la sociedad, le interesara purificar al Estatuto de una mancha caída sobre su perfección. Mister Siwel le replicó agriamente y se aborrascaron. ¡Qué cólera la de estos sabios! Temo que no vuelvan a hablarse en toda la travesía. Y no podremos matar el aburrimiento jugando al póquer.

Miss Morris me ha resuelto el problema con otro pasatiempo en el que me ha estado iniciando. Un juego indígena para dos, consistente en mover cinco pequeños guijarros sobre unas rayas entrecruzadas. Su dedo las trazaba en la arena, su mano las borraba. ¿Será tan adorable esa distracción pueril cuando juguemos a bordo, lejos de la felicidad que impregnaba hoy la playa rosada, el cielo inmenso, la fresca profundidad del bosque y la azul transparencia del agua, cuya anchísima lengua chasqueaba sobre la orilla casi calladamente?

A bordo de la Tasmania, *octubre 11.*—Ya estamos en marcha. Rítmicos estampidos del motor auxiliar. La entrada de la maravillosa bahía, por donde hemos desabocado, apenas se percibe a popa entre la verde base del gran cono volcánico. Y viendo a los dos sabios acodados a babor y a estribor del pequeño puente, doy la razón a miss Morris. «Para mí son idénticos» me dijo un día, y traté de disuadirla. Pero la misma postura, igual vestimenta, idéntica obstinación. Si el uno niega a Narootea por su fe en la Organización, el otro piensa encontrarla organizando otra Organización. ¿Quizás por eso confundo sus apellidos? Sería más claro designar con + y −, simplemente, al narooteísta y al antinarooteísta.

¿No están algo decaídos desde que embarcamos? En cambio, miss Morris ha mejorado deliciosamente. Descalza, con el cabello libre, con sólo una falda y una blusa: Así salió del camarote apenas habíamos largado amarras, y quedó engarzada instantáneamente en nuestra actual atmósfera marina.

A propósito de camarotes, ya no compartiré el del capitán, un pacífico mestizo samoano con dientes de oro. Me instalaré con +, porque los dos sabios no quieren estar juntos.

A bordo, octubre 12. — ¿Voy creyendo en Narootea por mis conversaciones con +? Lo que yo no podía explicarme era que la simple omisión (ya casi inconcebible) de Narootea en el Estatuto de 1920 bastara para borrar del mundo a una población, por pequeña que fuera. ¿Cómo no intervinieron inmediatamente ni el administrador de toda la Colonia, ni los propios blancos de Narootea, ni sus familias, ni nadie? Si un cataclismo sumergiese a una isla en el océano, todos los periódicos lo dirían, aunque ningún habitante viviese para contarlo. ¿Y nadie iba a dar fe de Norootea, quedando pobladores en ella?

Pero + sabe responder a esas objeciones. La causa de todo está en que el archipiélago de Nuni-Hui, antes administrado unitariamente, a pesar de su gran diseminación, quedó dividido por el Estatuto en las dos dependencias separadas de Nuni-Rea, al norte, y Nuni-Ova, al sur. Y como Narootea quedaba aislada entre ambos grupos e igualmente distante de ambos, cabe suponer (una vez admitida la omisión en el Estatuto) que el nuevo administrador de Nuni-Rea creyera que la isla había quedado adscrita a la otra dependencia, y que igual le sucediese al de Nuni-Ova, cosa tanto más fácil cuanto que ambos son meros funcionarios subalternos, sin especial capacitación. Es cierto que el último administrador único de Nuni-Hui, anterior al Estatuto, no hubiera dejado de señalar la omisión, pero desapareció al naufragar el barco en que visitaba las islas. Así pereció, críticamente, el único de la Colonia que hubiera podido enmendar los papeles, pues el escribiente mestizo que le sustituyó año y medio, hasta la bipartición de la Colonia, era completamente incapaz de leer el Estatuto para comprobar si una isla más o menos había quedado fuera de los maternales brazos de la Organización. Y no hablemos de los demás habitantes del archipiélago.

¿Y la Compañía o el capitán del buque-correo que

mensualmente recorría las islas...? Tampoco, porque en 1918, cuando el último coletazo de los submarinos alemanes, ese servicio fue uno de los suprimidos para llevar barcos al Atlántico y al ser restablecido, ya bajo el Estatuto, la concesión pasó a una nueva Compañía, cuyos empleados desconocían las antiguas rutas.

Sin embargo, la familia de los pocos blancos residentes en Narootea, hacia 1920... En este aspecto, como se recordará jugaron un gran papel las cartas al *Times*: la del presunto heredero de una plantación, la de la solterona de Warwickshire que situaba en la isla al hombre que le había jurado volver para casarse, y algunas otras. Pero ni esas cartas, ni los anuncios publicados, permitieron aclarar nada. Lo que tampoco es ninguna prueba definitiva después de veintiséis años y dos guerras mundiales.

Aunque así sea, ¿puede creerse que los habitantes de la isla se resignaran a hacer de robinsones? Reducidos a sus propios medios, explica +, se vieron privados de los poderosos recursos que ofrece la organización moderna para salvar los océanos.

Al verse acorralados por tales razonamientos, los antinarooteístas vuelven a esgrimir su argumento supremo. Podrán haber fallado islas, hombres y barcos, pero nunca la organización administrativa que redactó el Estatuto. ¡Con qué tristeza los narooteístas se ven aquí obligados a delatar una mácula en la Organización! Pero así es. Aunque quizá, confían, sólo se trate de una deficiencia en el control de lo impreso en el Diario Oficial. Con todo, razón de más para no descansar hasta que nuestra Organización sea perfecta.

A bordo, octubre 13.—Ayer tarde, cuando yo discutía otra vez con + el caso de la isla, ella subió al puente y se sentó en la hamaca, junto a nosotros.

Callamos un momento, y el silencio dejó penetrar hasta mí algo muy importante.

Sí, trascendental. Durante mi insomnio, hasta estas febriles notas escritas de madrugada, ha ido madurando en mí. Todo es ya diáfano. Y creo en los pobladores blancos de Narootea. Pero no olvidados por deficiencias de la Organización, como piensa +, sino al contrario: sumergidos bajo la Organización.

Sólo así se explica que los nuevos administradores de Nuni-Rea y Nuni-Ova no se preocuparan de la isla, justamente porque sus órdenes no admitían la menor iniciativa humana y los convertían en meras piezas de la Organización. Sólo así se comprende que, en la metrópoli, nadie advirtiera la omisión del Estatuto, confrontándolo con disposiciones anteriores; porque en 1920 se organizó tal campaña de propaganda para divulgar el texto del Estatuto, que fue prácticamente imposible dejar de arrinconar todos sus precedentes. Sólo así se concibe que los abandonados en la isla no dieran señal de vida, no por falta de los inmensos recursos de la Organización, sino, precisamente, porque la monstruosa eficacia de ésta les incapacitó para la hazaña que los salvajes polinesios realizaron hace siglos: es decir, navegar doscientas millas en un tronco ahuecado, con una vela de fibra y sin más brújula que las estrellas. Sólo así cabe admitir, en fin, que en los archivos centrales del Ministerio no quede rastro de la población isleña; porque la implacable Organización arroja todos los años al archivo unas cuarenta toneladas de papel, cuya clasificación reglamentaria exigiría cada doce meses un piso más para la Secretaría de Colonias. Como eso no es posible, un departamento selecciona previamente los legajos destruibles, y claro está que exigir a los archiveros algún interés por papeles referentes a la ínfima y remota isla de Narootea, sería tanto como pedir a los funcionarios de la imperial Roma que se hubieran cuidado de conservar los informes de cierto oscuro gobernador, llamado Pilatos, sobre la ejecución de Uno que decía ser Rey de los Judíos.

Y, en cuanto a esa prueba máxima de la imposible omisión de Narootea en el texto sagrado del Estatuto, nada de explicaciones para mentalidades organizadoras. Antes preferiré creer que un golpe de viento se llevó un folio o que un ordenanza lo traspapeló, o que una mujer de la limpieza derramó tinta encima y lo hizo desaparecer para evitar la reprimenda, o —mejor— que una mecanógrafa enamorada de su jefe omitió una línea al copiar, y que el jefe, al fin, rendido a la mecanógrafa, comprobó mal el texto del «Diario Oficial», base de todas las ediciones ulteriores.

¡Todo tan diáfano desde ayer tarde! Por eso se me ha quedado grabada una visión como la marca a fuego sobre la frente del esclavo: ella en la hamaca. Los descalzos pies oscilando y el cuerpo siguiendo, fiel y libre a la vez, el cabeceo de la goleta. Sobre el mar saltaban repentinamente los peces voladores, cuyo chapuzón ponía una mancha luminosa, casi fosforescente, en las ondas progresivamente oscurecidas bajo el rapidísimo crepúsculo.

Todo lo ha resuelto esa piececita de máquina, como si fuera un dios. Estaba sobre el pupitre del patrón. Nosotros, los cuatro europeos, en torno. Era una pequeña válvula de cilindro recién lavada con gasolina y reluciente como si sonriera. Sólo granujienta y sombría, por donde su delicado vástago se había partido. Manos muy temblorosas (¿las de + o las de −? Es igual) daban vueltas a la piececita. «Si aún se encontrara el otro pedazo —dijo el patrón— creo que podríamos arreglarlo.»

Mientras los dos sabios consideraban sin éxito otras posibilidades, comprendí hasta qué punto la piececita había transformado el mundo. Para — era la abrumadora prueba de que la mejor Organización es tan frágil como una diminuta varilla, por donde toda ella viene a quebrarse. Para + era también un fracaso; el de toda la organización S. S. N., con su propaganda, oficinas, delegados y adheridos. Al fin + (¿o —?) balbuceó: «¿Podremos llegar... sin esto?» «¡Seguro!», contestó el patrón. Y añadió, con la más samoana de sus sonrisas: «Mañana».

Mister Morris tampoco se preocupaba pues, viejo residente en las islas, ya había previsto cosas así al calcular su provisión de *whisky*. En cuanto a mí, fue como retornar a un día de mi infancia campesina en que, viva todavía la impresión recibida en la visita escolar a una central eléctrica recién instalada, se fundió en mi casa la única bombilla que teníamos. A la luz del quinqué yo contemplaba el hilo metálico partido dentro del globito de vidrio, sin comprender que tan diminuta fractura bastase para detener el ímpetu de las veloces máquinas y las tremendas energías lanzadas por alambres sobre los campos. Para anular, en fin, toda la Organización del mundo. Como la piececita rota.

Por aquella revivida impresión mía fue más bien un niño quien, dentro de mí salió a cubierta. ¡Qué libre de toda opresión creada por cerebro humano! Ningún estampido mecánico, sino el anchísimo y rumoroso silencio del Océano; ningún humo, sino la sal en el viento.

El patrón dio unas órdenes. Cuatro canacos manejaron las jarcias y las vergas giraron despacio en torno de los mástiles. La goleta titubeó un momento como recobrando su perdido vivir. Restalló la ráfaga en las lonas, giró también el casco para empopar el viento y, con andariega decisión, abrió en el mar otra vez la proa su sendero susurrante y espumoso.

A mi lado, el patrón se dirigió a la muchacha en su idioma. Hablaron de mí, pero luego ella no me quiso decir de qué. Estaba resplandeciente con la nueva navegación.

En cambio, los pobres sabios perdidos en el mar se han quedado como blanduchos caracoles sacados de su concha. Desamparados en este ambiente sin máquinas ni Organización. Pues aquí nada es hijo de cerebros: tabla, viento, mar, soplos en las velas, chasquidos en el cordaje, blando batir de ondas en los costados. Vida de la ráfaga y del agua; vida que perdura en el mástil de cuando fue árbol, en la lona de cuando fue lino y flores azules.

El patrón no se ha resistido a contarme su conversación con ella. «Le dije que yo puedo casar, porque en Samoa soy *taro*, y le pregunté que cuándo os casaba, porque tú ahora no querías dormir sino hacer casa. No lo sé, me contestó ella, porque él no sabe lo que sabe.»

Mientras el patrón me revelaba así, en el puente, lo que yo no sabía que sabía, ella aprovechaba una calma para bañarse como los canacos, con una cuerda a la cintura por si apareciesen tiburones. Acababa de subir a cubierta, con la blusa y la falda pegadas al cuerpo mojado, los pechos bien dibujados, los muslos llenos y alargados como torsos de tiburón. Los canacos la rodeaban sólo con naturalidad. «Sí, pensé, yo lo que quiero ahora es hacer casa.»

Más tarde le dije que el patrón me había hablado y que yo ya sabía. Ella se llevó la mano al talle y, descubriendo la piel morena entre la blusa y el cinturón, sacó de debajo de éste un pequeño cilindro de metal y me lo entregó. Era el trozo de vástago buscado para reparar la máquina. Lo removí con dedos felices, miré en los ojos de ella la ansiedad y, echando muy atrás la mano, lancé el hierro al mar. Se rió, y ni pensé en besarla. Sobre la tibia madera de la escotilla nos dejamos caer de espalda, llenos de risa los dos.

El incidente de la tierra, anunciada erróneamente por el vigía, nos ha recordado a todos la importancia de la isla. Sensación casi religiosa, mientras se dilucidaba si aquello era tierra o no; los sabios avergonzados de toda su anterior sabiduría. Para mí, lo vital era entonces salvar a mis hermanos isleños. Salvarles de verdad, no como la S. S. N.; salvarles de gobernador, de periódicos, de propaganda, de contribuciones, de miedo a la tercera guerra mundial. Resultó que no era tierra, pero todos comprendimos ya en qué gran aventura estábamos embarcados.

¿Cuándo volverán a gritar «tierra»? Es inminente. ¿Será al amanecer y la isla irá emergiendo a proa, magnífica y recién creada, sobre un quieto mar lechoso (blanco aún como los papeles que han sumergido a Narootea tantos años), hasta el viviente incendio de un sol apresurado? Todos nos aferraremos a la borda, mientras se irán precisando, entre neblina, los picachos violeta, las azules sombras de los precipicios y el densísimo cinturón verde de los bosques. Hasta que... ¡aquello, cerca de la playa!... ¿Será otro jirón de niebla o, Dios misericordioso, la estela gris del fuego de los hombres?

¡Qué pesadilla! Acabo de soñar que para esta noche estaban previstas las pruebas de una nueva bomba atómica sobre un paraje oceánico supuesto libre: éste donde estamos. Casi oigo a los aviones, casi vivo la caída de la bomba con que la Organización nos aniquila. Medio dormido aún, huyo al puente.

Profunda, respirante paz nocturna. La somnolienta cara olivácea del timonel recibe oblicuamente la luz del farol. Afuera, noche sin luna, oscuridad intensa, cerrada.

Pero... ¿una hoguera sobre el mar? ¿No me engaño? Débil, aunque no lejana, desaparece y reaparece como... ¡como si la fueran interceptando troncos de árboles al avanzar la goleta!... Este timonel... No, no ve nada. ¿Y el fuego? Ya no se divisa, pero...

Sí, la oscuridad es hacia allí más densa. Tierra. Sólo puede ser Narootea. Y entonces...

Esta última hoja de diario se encontró sobre cubierta, en un rollo de cuerda, arrugada, como si la hubieran querido arrojar al mar desde el puente. Fue escrita la noche en que desapareció su autor y también miss Morris; doble accidente todavía inexplicado.

Como se recordará, la Tasmania *no logró hallar la isla, a pesar de seguir constantemente una ruta que debió hacerla pasar por la situación de Narootea. La conclusión oficial fue que la isla seguramente desapareció hace tiempo bajo las aguas por un fenómeno volcánico, como otros casos conocidos.*

Lo raro fue, sin embargo, que Mr. Morris no se apenó mucho por la pérdida de su hija, ni insistió en que la Tasmania *prolongara sus pesquisas. «Ella es feliz ahora», decía resignadamente. Sin duda, perdió la razón, porque dos meses después dimitió su cargo y, con el patrón de la* Tasmania, *embarcó en una gran canoa polinesia de vela, para un viaje del que no regresó.*

Por todas esas extrañas circunstancias, las notas anteriores no fueron incluidas en el informe de la expedición; pero están archivadas en la forma reglamentaria y pueden ser consultadas por quien se halle debidamente autorizado para ello o solicite, a tales efectos, la formación del oportuno expediente.

1957

Un caso de cosmoetnología:
La religión hispánica

Desde el punto del campo gravitatorio terrestre en que estoy situado, tan próximo a su centro, abarco perfectamente la ciudad de Madrid, seleccionada para nuestro estudio antropológico. Es lo que ustedes llaman domingo; es decir, el día que hemos seleccionado previamente por razones obvias. Es también la hora del rito cuya observación nos interesa. Por cierto, hablo en presente por hablar de algún modo, pues eso que ustedes llaman tiempo tiene para nosotros un sentido imposible de explicarles.

Pues, naturalmente, yo no soy un terráqueo, sino que habito cierto asteroide. Supongo que eso ya no sorprenderá a ningún lector, después de tanto platillo volante como ven desde la Tierra en estos últimos períodos temporales. No obstante, para hacer más digerible la novedad de esta información científica, firmo con un nombre y apellidos de los que suelen usar ustedes y procuro expresarme en vocablos de su medio expresivo. No pueden imaginarse el trabajo que cuesta. Es como cuando a un gas lo encierran a presión y no se puede mover.

En fin, el caso es que en nuestro mundo se habían producido ciertas discusiones sobre el estado actual de las creencias religiosas en las agrupaciones pensantes primitivas de nuestro espacio próximo, especialmente en la Tierra, donde esas creencias han jugado un gran papel. Ciertos etnólogos cósmicos insistían en la fuerte vigencia actual de tales ideas. En cambio mis maestros —ahora sé que por error— las consideraban en decadencia. Para abreviar fui comisionado para un desplazamiento que permitiera aportar hechos sobre la situación en cualquier país terrestre donde la religión se encontrase viva.

Naturalmente, elegimos España. Todas nuestras referencias coincidían en que el pueblo español encarna la más honda raigambre religiosa, mil veces demostrada a lo largo de su historia. Hasta los propios adversarios lo reconocen, aunque sea para reprochar excesos. En cuanto a las publicaciones españolas más recientes, todas garantizan el acendradísimo fervor católico de los españoles, hasta el punto de que sus leyes no reconocen ningún estado civil si no está religiosamente bendecido. Por eso en estos momentos, en que la suprema autoridad religiosa de Roma se inclina a la tolerancia y pide comprensión para los errores del pasado, los españoles no se sienten afectados por el problema de la libertad religiosa, totalmente innecesaria en un país donde todo el mundo hace uso de su plena libertad de conciencia para ser libremente católico.

Pero no es a ustedes a quienes necesito convencer del indudable acierto al elegir España como caso de estudio. Era preciso circunscribirse a un solo país y a muy pocas horas de observación porque, francamente, no soportamos mucho tiempo en la densidad de su medio ambiente y eso limita nuestro radio de acción hacia la Tierra, desde nuestras bases matrices. Por eso se eligió un domingo, y aunque la observación había de realizarse necesariamente durante la tarde (por razones de desplazamiento en el espacio) eso no era obstáculo puesto que la liturgia actual permite santificar las fiestas después de comer.

Total: que, como empezaba diciendo, mi campo de observación en el espacio abarcaba Madrid aquel domingo. Ni demasiado lejos para perder detalles, ni demasiado cerca para limitar el área a una parte. Desde allí mi noveno sentido captó en el acto la existencia de una indudable tensión mental colectiva, polarizada hacia un cierto punto de la ciudad. Hacia allí convergía el pensamiento de las gentes; hacia allí se organizaban los transportes públicos y las caravanas de vehículos privados. Desde los barrios más lejanos se formaban grupos reducidos acudiendo a engrosar los afluentes de los varios ríos humanos desembocantes en el polo de atracción común. El hecho era tan unánime, las excepciones tan insignificantes, que aquella manifestación colectiva, en el día santo del pueblo más religioso del mundo sólo podía significar una cosa: el pueblo en masa acudiendo al culto.

Prescindí, por tanto, de las áreas periféricas y me aproximé mucho más al foco de convergencia. La verdad, me sorprendió la estructura del templo y comprendí que, en ese aspecto, nuestras referencias era un poco anticuadas. El edificio se había modernizado mucho, desde aquellas naves cerradas y sombrías. Era incluso impropio llamarlo edificio, porque era una estructura elíptica y abierta, dispuesta en graderío como los viejos circos romanos. Sólo una pequeña parte estaba relativamente cubierta, y como hacía un intenso frío invernal, con amenaza de llovizna o nieve —esos inconvenientes de su densidad ambiental en la Tierra— todavía me admiró más aún el fervor religioso de aquel pueblo, dispuesto a arrostrar todas las inclemencias. Verdaderamente, mis maestros se equivocaban. La religión española estaba tan viva como en sus épocas más gloriosas.

Cuando me acerqué, el templo estaba casi lleno, pero la ceremonia todavía no había comenzado. Me dediqué a observar el campo donde aparecía acotada un área rectangular, con ciertas líneas señaladas en su interior, seguramente para delimitar zonas de distinta significación sagrada. No había cruces por ninguna parte, pero sí ciertos maderos. Había tres, junto a cada uno de los lados pequeños del rectángulo, dispuestos de manera que el más largo descansaba, sobre los dos menores, clavados en la tierra. Aquellas especies de toscos pórticos aparecían cerrados detrás con una red, no sé si recordando así la profesión pescadora del primero de los apóstoles.

Un clamoreo del público, atestado ya en los graderíos, me llamó la atención hacia la aparición de los sacerdotes, emergiendo uno tras otro por una escalerilla, como si brotaran del seno de la tierra. Avanzaban en hilera, a grandes saltos elásticos, hasta el centro del campo. Eran muchos y —detalle también sorprendente—, ninguno era anciano, ni ostentaba venerables barbas. Vestían muy simplemente con calzón corto, y de parecida manera todos, pero con perceptibles diferencias. Once llevaban una camiseta blanca, con una simple insignia a la altura del corazón. Otros once llevaban camisetas con anchas rayas verticales azules y rojas. Los otros tres llevaban además una chaqueta y dos de ellos, además, unas pequeñas banderolas. Y todos, nacidos de la tierra, avanzaban elásticamente, hacia el centro del terreno sagrado... ¡Ah!, uno de ellos llevaba en brazos una esfera como de un palmo largo de diámetro.

Pero no voy a explicarles a ustedes un rito que conocen mucho mejor que yo: los breves preliminares, la religiosa colocación inicial de la esfera en el centro matemático del campo, el enfrentamiento de los dos grupos de once sacerdotes diferentemente vestidos, su empeño por llevar cada grupo la esfera sagrada hacia el pórtico opuesto impulsándola con los pies, las interrupciones cuando la esfera desborda del campo y cae en tierra profana —entonces interviene uno de los acólitos con la banderita— o cuando alguno de los sacerdotes toca la esfera con la mano, salvo si se trata de alguno de los dos guardianes, la obediencia al silbato del tercer sacerdote con chaqueta que viene a ser como el Gran Maestro de Ceremonias, el apasionamiento de los fieles vociferando con frecuencia el nombre de la ciudad «¡Madrid!, ¡Hala Madrid!», la contestación de otros coros cuya invocación consistía en «¡Ra, ra, ra!»... Todo eso lo saben ustedes de sobra. Lo único que pretendo es explicarles mi propia interpretación del rito, después de mis observaciones. No dudo de que cometeré algún pequeño error de detalle, pero en conjunto espero que mis conclusiones puedan aceptarse como una adecuada versión etnológica de la actual religión hispánica porque, modestia aparte, soy un buen especialista en religiones terrestres y no es difícil relacionar esas ceremonias con otras similares muy frecuentes en la especie humana.

Desde luego, mis maestros estaban equivocados en lo esencial pues el pueblo español es sin duda alguna religiosísimo. Pero no andaban muy descaminados al no atribuir mucha significación al catolicismo, a no ser que haya evolucionado de una manera casi increíble.

Pues resulta evidente que el culto presenciado por mí corresponde a una religión naturalista como tantas otras sobre la Tierra. La esfera sagrada es una clásica y conocidísima representación del mundo, que las potencias del bien —representadas por los sacerdotes de blanco— tratan de impulsar en una dirección, mientras las del mal pretenden llevar el cosmos en sentido contrario, a lo largo del eje mayor del rectángulo sagrado, que coincide sensiblemente con la dirección norte-sur del magnetismo terrestre. El entusiasmo predominante de los fieles por los sacerdotes del bien es completamente lógico, y las sombrías invocaciones de otros coros menores —«¡Ra, ra, ra!»— sirven solamente para dramatizar la ceremonia, como los sacerdotes que personifican el diablo en tantas religiones. Las invocaciones a «¡Madrid, Madrid!» se interpretan fácilmente como residuos de cultos locales, pues lógicamente la idea del bien se vincula a la de la ciudad propia, como lo demuestra el refrán popular recogido por uno de nuestros eruditos y que presenta a Madrid, como el escalón inmediatamente anterior al cielo («De Madrid al cielo», creo que dice, pero no es mi especialidad la paremiología).

Pero ¿por qué ofician los sacerdotes con los pies? A primera vista, en efecto, resulta extraño, dada la superioridad moral y estética atribuida por los hombres a las manos. Pero nótase que el pie es justamente la parte del cuerpo más en contacto con la tierra. Una religión naturalista, que rinde culto a las fuerzas telúricas, dignifica lógicamente los pies como más directamente receptivos a los efluvios de esas fuerzas. El detalle de que los sacerdotes todos parezcan emerger por una escalerilla del seno de la tierra prueba que, en la ceremonia, todos ellos son considerados emanaciones o personificaciones de lo bueno y lo malo que hay en el cosmos físico cuyas directas manifestaciones son más fácilmente alcanzables a través de los pies. Sólo el Guardián de cada pórtico puede usar lícitamente las manos, porque él es el recurso supremo y entonces el hombre puede y debe emplear todos sus medios. Y cuando falla el hombre, a pesar de todo, es la Red —símbolo claro del Firmamento o del Océano Matriz— lo que salva a la esfera terrestre de perderse definitivamente. Y otro ciclo de la lucha entre el bien y el mal vuelve a comenzar, provocando la angustia de los fieles y ofreciéndoles la catarsis pasional facilitada por cada rito.

¿No es cierto que, detalles aparte, la religión ibérica presenta esos rasgos? Estoy seguro de que cualquier observador imparcial llegaría a conclusiones parecidas. En mi asteroide, sin embargo, continúan las discusiones. No es extraño en los sabios no dar su brazo a torcer; sobre todo cuando, como yo, no han podido observar directamente los hechos. Contra mi versión se han alzado dos clases de objeciones que, por honestidad científica, voy a resumir.

La primera coincide con la mía en algunos aspectos: el apasionamiento de los fieles, la estructura casi circular del templo en graderío. Pero en vez de enfrentarse dos equipos de sacerdotes, se enfrentan un hombre y un toro a fin de representar las fuerzas telúricas del bien y del mal. No pretendo discutir demasiado esa información de algún otro observador de la Tierra, porque podría reducirse a una variante del culto descrito por mí, ya que lo único alterado es la personificación ritual de las fuerzas contrapuestas. Parece incluso que esa variante tiene relación con las estaciones, y que ese combate entre el Héroe y la Bestia (con tantísimos equivalentes en otras religiones terrestres) estaría relacionado con el predominio de la influencia solar durante el verano, mientras que el combate entre sacerdotes emergidos de la Tierra sería más propio de la época en que el planeta se recoge sobre sí mismo en el invierno, como las semillas o el celo genesíaco de los animales terrestres. No es imposible, por tanto, que al menos en teoría el culto de Madrid —así lo he denominado en mi informe— y el supuesto culto solar del Héroe y la Bestia, coexistan en la realidad.

En cambio, debo rechazar por completo la segunda objeción. Pues algún testarudo sigue sosteniendo todavía, con argumentos exclusivamente documentales, que el catolicismo en su forma clásica es la religión española actual. Eso es algo que difícilmente puede afirmarse para cualquiera que haya obser-

175

vado directamente qué es lo que verdaderamente ocupa las mentes de los fieles durante el domingo e incluso durante la mayor parte de la semana. Digo esto porque, aun sin haber podido recoger pruebas plenas, tengo sospecha de que en los demás días los fieles se dedican con entusiasmo a llenar de cruces unos papelitos y a depositarlos en buzones; todo ello en relación con los ritos dominicales de los sacerdotes enfrentados. No niego que los documentos siguen aludiendo a las antiguas ceremonias. Pero no sería el primer caso histórico —en la Tierra o en otros sitios— de la convivencia de una fuerte y apasionada religión popular con una religión oficial superior, mucho más elevada espiritualmente pero también con menos influencia sobre la realidad cotidiana de la vida para las grandes masas humanas.

1959

La bendición de Dios

«El problema de los precios agrícolas se encuentra
agravado este año en Estados Unidos por la infortu-
nada circunstancia de una gran cosecha de...»
(De un informe económico oficial)

Sí, un año de insensata fecundidad. Las nubes flo-
taban tranquilas como siempre, pero la llanura no
era un simple trigal mecido por la brisa, sino un
campo de fuerzas a punto de estallar. Las espigas,
enormes y grávidas, doblegaban los tallos hacia el
surco, ansiosas de enterrarse para germinar otra
vez. Los tallos se resistían, aspirando a lo alto, y dejaban oír roces y crujidos. El sol encendía todo
aquel mar amarillo hasta el infinito, y el viento lo
llenaba de estremecimientos y remolinos. A Clem,
que miraba desde su porche, le sugería los relámpagos nerviosos en la piel de un caballo impaciente.
«La tierra se ha vuelto loca», pensó.

Años atrás, su abuelo hubiera dicho que aquello
era la bendición de Dios. Tonterías del abuelo, porque Dios no se había limitado a bendecir los campos
de Clem sino que, excediéndose como tantas otras

veces —las riadas, los huracanes, los hijos de los pobres—, había bendecido también los del viejo sueco, los de Stewart, los del gordo polaco, los de todo el condado. Y, según los periódicos, había llegado a bendecir nada menos que todo Illinois, y hasta la nación entera. Millas y millas de espigas estallantes: miles y miles de vagones de grano. Verdaderamente, Dios no había estudiado nunca economía agraria: por culpa de su bendición se derrumbarán los precios.

Daba rabia. Clem escupió el tallito de campánula que mordisqueaba, entró en la casa y volvió a salir, poniéndose la chaqueta. Abrió el garaje, sacó el tractor que le cerraba el paso y puso en marcha el coche. Al pasar ante la ventana de la cocina se asomó su mujer. «¡Vuelve pronto!», le gritó. «¡Seguro!», contestó Clem despidiéndose con el brazo.

Ella movió la cabeza dubitativa y se metió dentro. No, no era nada seguro; ahora Clem parecía otro hombre, con la preocupación de la cosecha. Estaba nervioso y agitado desde que desapareció el riesgo de las heladas y los trigos comenzaron a encañar y a dorarse, desde que ya no hubo esperanza de que se estropeara el año ni siquiera un poquito. En fin...

Clem vio aparecer el pueblo, encuadrado por el parabrisas, con su corro de árboles polvorientos. Pronto llegó a las primeras casas, esquivó a un chiquillo de los Douglas —«esa mujer, siempre tan descuidada», pensó— y se metió por Main Street. Paró frente al almacén.

Dentro, únicamente la abuela, sentada en su mecedora.

—Hola, viejo —contestó al saludo de Clem, que hubiera podido ser su hijo.

Sam los oyó y salió de la trastienda.

—Hola —dijo también. Y miró a Clem.

—Como siempre —dijo éste.

Sam se volvió para coger el vaso y lo llenó despacio. Clem lo alzó al trasluz y se quedó mirándolo. Entró una chiquilla pidiendo polvos de levadura y Sam se los despachó. Luego se volvió hacia Clem.

—¿Todo bien allá arriba?

Clem apartó la mirada del vaso y contestó:

—¿Bien? ¡Demasiado!

Se bebió el vaso de un trago y repitió, reconcentradamente:

—Demasiado bien. No sé cómo nos vamos a arreglar este año.

Tenía ganas de hablar de eso. Lo necesitaba. A eso había venido: a no reventar.

—Sí —confirmó Sam—. ¡Vaya un año! No recuerdo otro igual.

—Yo sí, yo sí —exclamó la abuela—. El año en que Mussie vino de Chicago con aquel sombrero de las flores violeta.

—Eso fue el noventa y nueve, ¿no, abuela? —dijo Sam.

—¿Qué más da el número? Fue el año en que Mussie se compró aquel sombrero; ese año es el que yo digo. ¡Qué sombrero! El pastor le dedicó un sermón contra la liviandad... ¡Pobre Mussie, qué mal rato pasó! Era algo sordo, pero muy piadoso. El pastor, claro. Pues recuerdo que aquel año hubo tanta cosecha que...

Aquella abuelita sosegada sacaba de no se sabía dónde una fuerza enorme para contar recuerdos. Las cosas y las gentes seguían siempre vivas en su memoria, llenas de sangre y de ruido. Pero Clem la interrumpió, llevado de su malhumor:

—Me lo figuro: espigas como el puño. No me lo cuentes, abuela. En cambio, explícame cómo os las arreglabais entonces para vivir con tanto trigo.

La abuela no se enfadó. Nunca lo hacía. ¿Por qué había de enfadarse, si seguía estando viva? Se compuso la anacrónica pañoleta que llevaba al cuello y miró a Clem con ojillos de burla.

179

—¿Cómo nos arreglábamos? —repuso—. Lo mismo que ahora. Parte del trigo lo hacíamos pan para la casa y parte lo vendíamos. Vendíamos mucho.

—Eso quisiera yo —saltó Clem—, vender. Pero vender como es debido.

—¿Qué quieres decir? —terció Sam.

—Está bien claro: vender por lo que vale. ¿Acaso produzco piedras, que no sirven para nada? ¿No necesita pan todo el mundo? ¿Quién comería pan en Chicago o en Nueva York, si no fuera por nosotros?

—No perderás dinero —le recordó Sam—. El gobierno paga la diferencia hasta cubrir el mínimo. El programa de sostén de los precios agrícolas...

—¡Déjame de programas! Estoy harto de que me ayuden, como si yo fuera un incapaz. ¿No trabajo como el primero? ¿No produzco una cosa necesaria? Si estoy equivocado, si hay que dejar de sembrar trigo, que lo digan. Pero mientras haya gente que no come bastante, ¿por qué van a tener que ayudarme cuando mi cosecha es buena?... ¡Programas! Me cobran la contribución por una ventanilla y me dan un subsidio por la otra: ¿es eso razonable?

Hizo un gesto, y Sam se puso a servirle otro vaso.

—El mundo está loco —siguió Clem—, todos estamos locos. ¡Que la tierra nos perjudique cuando produce más que nunca! ¿Cómo hemos podido llegar a que las cosas sean así?... A no ser que mi abuelo estuviera equivocado cuando llamaba a un hermoso trigal «la bendición de Dios». Pero yo digo...

—¡La bendicion de Dios! —interrumpió encantada la abuela—. ¡Cielos, Clem, eso es muy bueno! Me has dado la gran idea. No encontraba el título para mi cuadrito. Resultaba una estampa de verano, pero le faltaba la idea. Voy a terminarlo.

Con ágil viveza se levantó de su mecedora. Al pasar junto a Clem le dio unas palmaditas en el hombro. Los ojillos azules chispeaban tras los lentes de anticuada montura de acero.

—Me has puesto en marcha, muchacho —dijo.

Llegó hasta la ventana, cogió un lienzo empezado que estaba apoyado contra la pared y lo colocó sobre la mesa. Empezó a trajinar con sus pinceles y sus colores y se olvidó de todo.

La gente ya no se sorprendía como en los primeros tiempos, cuando la abuela empezó a pintar. Dos años antes habían llegado a sus manos, en el calendario de propaganda mandado al almacén por la International Harvester, unas reproducciones de cuadros de la Grandma Moses. Había leído la historia de aquella anciana que se descubrió tardíamente una vocación artística, y había pensado que a ella también le divertiría. Por lo menos, más que las charlas con las mujeres de ahora. Comenzó copiando las estampas del calendario y, en efecto, se divirtió. Desde entonces había continuado pintando a su manera: es decir, como un puro y simple recuerdo de todo lo que vieron sus ojos.

Era como cuando contaba cosas pasadas, pensó Clem, acercándose a mirar el lienzo por encima del hombro de la abuela. También tenían prodigiosa vida las figurillas y los colores del cuadro. Los caballos, las enredaderas en los porches, los hombres afanosos, las mujeres tranquilas y, al fondo, como el crisol en que todo se fundía y armonizaba el luminoso ritmo amarillo de los trigales, espesos y estremecidos, ganando más fuego, más intensidad, más violencia inmóvil a cada pincelada de la anciana ¡Por Dios!, eran los mismos trigos que se veían desde el pueblo. Parecía magia, o hipnotismo, o como le llamen a eso.

—¿Cómo lo haces, abuela? —preguntó asombrado.

—¡Ah, es muy fácil! Lo pinto como lo vi, y ya está.

—¿Muy fácil?

—Bueno; es que la cuestión está en ver. Yo cierro los ojos y veo. Y me quedo quieta y oigo aquello. Y hasta casi lo toco. Un poco, nada más, como un roce, como si aquello me pasara cerca, o estuviera ahí, otra vez... Pero, sobre todo, veo. Lo que viví en mis tiempos. Muy claro. Lo veo.

—Tienes que verlo mucho. Es como si estuviera vivo.

—¿Verdad?... El otro día le dije al pastor, que vino un momento: «Ya sé cómo es Dios; ahora lo comprendo. Dios es pintor. Pinta un cuadro y es el mundo cuando mi madre era joven, por ejemplo. Lo deja en el suelo, contra la pared, detrás de todos los que ya hay, mucho más viejos, y se pone a pintar otro: el mundo ya de cuando yo era joven. Los trajes y las gentes son diferentes. Cuando lo acaba y se pone a pintar otro, ya pone un automóvil y un aeroplano. Y así es como pasa el tiempo, y las vidas, y las épocas...». Eso le dije al pastor. Y ahora parece —añadió, pensativa— que quiere pintar la luna con nuestros nietos encaramados en ella; no sé. Siempre inventa cosas nuevas; se debe divertir mucho...

Lo dice como con envidia, pensó Sam.

—¿Y qué contestó el pastor, abuela? —preguntó Clem.

—No lo comprendí muy bien. Habló de no sé qué libros. Y a mí no me interesan los libros, con la de cosas que hay en el mundo. Pero el pobre pastor, en cambio, no entiende nada de cosas; sólo sabe de libros, el muy comepapeles... ¡Bah!

Clem se dirigió a Sam, volviendo a su obsesión:

—Como el de la ventanilla —dijo—. El funcionario que cobra la contribución o el que paga el subsidio. No distingue el trigo número uno del número tres: y hasta puede que ni siquiera el trigo de la cebada: para él no hay más que escritajos en los papeles. Y mira si es desgracia: nosotros dependemos de ellos, y del Senador de Washington y de los del Departamento de Agricultura. Yo los mandaría a todos al infierno, pero dependemos de ellos. Y no cuando hay sequía o cualquier calamidad; no; también cuando la cosecha es como este año. No sé cómo sucede, pero así es.

La entrada de Ebba, la pequeña del sueco, interrumpió a Clem. Y mientras Sam despachaba, las incertidumbres y brumas de sus pensamientos acabaron cuajándose en piedras de verdad. Por eso continuó, más seguro, cuando la chica salió:

—Porque es lo que yo digo: ¿Cómo se las arreglaban antes, cuando no había sostén de precios, ni esta organización del mercado? ¿Cómo es que aquellas buenas cosechas que pinta la abuela no mataron de hambre a todo el mundo? ¿Cómo es que hemos nacido sus hijos, y los que aún viven siguen diciendo que aquello era una bendición de Dios?... No lo comprendo, me saca de quicio —concluye Clem—. Algo tiene que estar mal.

El almacén quedó en silencio. Afuera, el sol había ido declinando sobre los infinitos y ubérrimos trigales del condado, del estado, de la nación. Sus últimos rayos, ya casi horizontales lograban deslizarse bajo el porche hasta la cabeza blanca de la pintora, al tiempo que el cuadro quedaba terminado. Unas chispas se encendieron en el cristal de los lentes, el acero de la montura se convirtió en plata y las arrugas del rostro se marcaron a buril como vívidas líneas de fuerza. La cabeza se irguió al toque de la universal fuente de energía. La mujer dejó los pinceles y se volvió hacia los dos hombres. Se puso en pie y quedó erguida, en medio del sol tendido y la penumbra creciente, con la figura dramática de una sacerdotisa. La voz también era intensa y diferente cuando habló:

—Ahora me acuerdo, Clem. Ahora puedo decírtelo.

—¿De qué hablas, abuela?

—De lo que hacíamos. Lo recuerdo muy bien y, además, lo voy a pintar un día de éstos. Lo que hacíamos cuando la cosecha era muy hermosa.

Intercaló una pausa como para verlo mejor por dentro, como ella veía las cosas de la vida antigua, y al fin dejó brotar lentamente las dos palabras:

—Un baile.

Los hombres sintieron vagamente que no debían hablar. La mujer continuó:

—Eso hacíamos: un baile, una gran fiesta, una locura... Recuerdo cómo iba pasando despacio la primavera. Día tras día encañaban los trigos, día tras día se iban haciendo enormes las espigas. Todos nos moríamos de impaciencia, pero nadie se atrevía a ser el primero, como las muchachas cuando van a un baile. Acabábamos cada vez más excitados en nuestro pueblo y en todo el condado. Aguardábamos, los hombres y los animales, bajo el cielo cada día más caliente, mientras el rubio dulce de la mies se volvía casi color fuego. ¡A veces se asombraba de que bajo el sol, no rompiese a arder toda la llanura!

La anciana hizo otra pausa. Siguió mirando y continuó:

—De pronto, un día... Solía empezar al sur. Sí, alguien decía que en Gold Creek estaban ya segando. O en Cannon, o en New Bristol... Corría la voz como la pólvora y no esperábamos más. Todavía de noche salíamos al campo y empezábamos. ¡Cómo segábamos, acarreábamos y cosechábamos en las eras! ¡Cuánto sol, cuánto sudor, cuánta fuerza! Las máquinas entonces no eran como las de ahora y por el campo no se oían motores; pero jadeaban los hombres y las bestias, crujían los atalajes, restallaban los látigos... Después era la prisa de los enormes carros, los tumbos por el camino, la tensión de los *atalajes*, los hombros sudorosos arrimados a la caja para salvar un bache, el afán por llegar al mercado antes que nadie... Y así día tras día, llenos todos de fiebre, cayendo en las camas como muertos y levantándonos al despertar como resortes... Hasta que, de pronto, ya estaba terminado y nos parábamos, mirándonos con asombro unos a otros. ¿Habíamos cosechado ya? ¿Era posible?... Sí, así era. Y entonces nos vestíamos de domingo y nos echábamos a la calle hasta llegar a la plaza. El viejo Dawson, que había nacido cuando aún vivía Washington, sacaba su violín. Aparecía una mesa larga con bombonas de alcohol para los hombres y jarras de limonada para las mujeres... Sonaba la música y empezábamos a bailar, a bailar, a bailar...

Ella lo había dicho sólo una vez, en voz baja e intensa, pero la palabra continuaba resonando en el aire, dando vueltas como si ella misma bailara. Clem nunca había oído a la abuela hablar así. Estaba fascinado; pero sus verdades de piedra le pesaban demasiado y no podía olvidarlas. Le daba pena romper aquello, pero tuvo que hablar:

—Sí, bailar... ¿Y luego, en el mercado, qué? ¿Qué os pagaban?

—¿Y ahora? —restalló la voz—. ¿Qué os pagan? ¡El subsidio para que cojáis el mínimo, y el mínimo es lo justo para que os tengáis de pie otro año, y paguéis los plazos del tractor y las contribuciones! Entonces nos pagaban poco, es verdad: pero en vez de soportar sobre nuestras espaldas al de Agricultura y a la rubia neoyorquina de su mujer, como ahora, nosotros éramos los reyes de nuestro trigo. Mira, aquel mismo año del sombrero de Mussie nos sobró grano, pero ni lo tuvimos que entregar a los silos del gobierno, porque no había, ni lo quisimos vender al precio que al final pagaban en Chicago. Se lo echamos a nuestros cerdos y comimos más jamón que nunca.

—Y al año siguiente, hambre.

—Puede. Así es la vida. Soltarse y apretarse el cinturón, según los días; pero vivir. Estar un año locos de alegría, y al otro, de desesperación, quizás. Pero los hombres eran hombres, y las mujeres, mujeres. Fue una cosa más grande el sombrero de Mussie que todas las tontadas de la televisión... Pero ya veo que a vosotros os gusta el cinturón siempre en el medio. Ni bueno ni malo, pero segurito. No sé si estaréis desesperados alguna vez, pero vivís siempre aburridos y de mal humor. Como nunca os veis hundidos del todo, nunca, nunca, sabréis lo que es resucitar y salvarse.

«No hay quien discuta con la abuela», pensó Sam. «Es siempre la más fuerte.» Clem se rascó la cabeza:

—Bueno, era distinto, eran otros tiempos... —intentó explicar.

La mujer le miró compasiva:

—Sí, eran otros, hijo: eran mejores —dijo con dulzura—. Tenéis miedo a la vida, la podáis los extremos, y pasáis a medio vivirla. Entonces, todo era una aventura: la cosecha, el baile, el hambre, el sombrero de Mussie... Puede —continuó la viejecita entrecerrando los ojos— que yo ya esté de más aquí, que haya saltado no sé cómo del viejo cuadro de Dios al que está Él pintando ahora... Pero mientras esté...

No concluyó su última frase, pronunciada otra vez con fuerza y confianza, pero lo prometía todo: la más entera fidelidad a la vida en su sangre casi centenaria.

El sol se había concluido ya. Es decir, continuaba brillando al otro lado del mundo. Volvieron a llenarse de silencio las sombras del almacén, cargadas de resonancia como la penumbra húmeda de un pozo. Sam habló en voz baja:

—Mírala. Tiene más aliento que tú y que yo.

«Quizás es porque Sam es gordo y tranquilo —pensó Clem—, o porque detrás del mostrador se aprende mucho. El caso es que siempre dice la palabra justa.» Y como ya no tenía nada más que decir, Clem se despidió y salió. Se sentía más ligero. Había bebido un par de vasos menos que otras veces, pero estaba más calmado y satisfecho.

En la calle flotaba ese polvo violeta que desciende del cielo en los crepúsculos de estío. Clem no estaba bebido y, sin embargo, hasta llegar al coche le pareció ir por un suelo cuesta abajo y como algodonado. Asió el pestillo de la portezuela, pero al escuchar aquel taconeo se quedó inmóvil. Susie pasó por la acera, regalándole una sonrisa. La siguió con la mirada: estaba bien, la Susie, pero que muy bien. Y para no empezar a recordar que casi la había visto nacer, Clem abrió resueltamente y se metió en su coche.

Iba a arrancar cuando la melodía de una armónica le robó la intención. La música brotaba llena de magia desde un jardincillo próximo, como si estuviera cantando a la noche. El invisible trovador era Tobías, el negro nacido esclavo en la caliente y francesa Nueva Orleans, que ahora vagabundeaba por las calles en verano y se acogía a cualquier casa en el invierno. Todos le querían: con la armónica llevaba siempre la sonrisa a las caras de las gentes. Como ahora, en el propio Clem. ¿Quién iba a arrancar un motor oyendo aquello, quién era capaz de apuñalar la noche?

Clem se quedó quieto, sintiendo oscurecerse el aire a su alrededor, hasta que el viejo esclavo acabó su melodía y, con ello, devolvió la libertad al hombre sentado en el coche.

«Tobías no tiene papeles, no los ha tenido nunca», pensó Clem mientras ponía el motor en marcha. «No tiene casa, no tiene negocios, no tiene tierra, no tiene seguro. ¿Cómo es que tiene esa música?»

A la salida del pueblo se empezaba ya a rodar entre trigales, susurrante ondulación de la llanura, toda olorosa a madurez intensa bajo el cielo sin luna.

«Tobías es del viejo cuadro de la abuela» —siguió pensando Clem—. «También dirá que esta cosecha es la bendición de Dios... Y después de todo, ¿por

187

qué no ha de ser verdad? ¿Por qué no ha de resultar que Dios no tiene la culpa?»

El hombre percibió un momento la hondísima serenidad de la noche —sí, a pesar del motor— y se preguntó amargamente:

—Pero entonces, ¡maldita sea!, ¿qué es lo que está mal?

1961

Sabiduría sufí

He aquí que el Ensalzado, el sabio, el venerable sufí Sur-ed-Din Mulaftí (Allah misericordioso prolongue su santa vida) recibió un día la visita de un mendigo.

El portero de la casa de oración le impedía la entrada pero el mendigo porfiaba para prosternarse ante Sur-ed-Din. En esto llegó un venerable con un mensaje del Ensalzado para que se diera entrada al pedigüeño, pues desde su galería del jardín interior había conocido lo que sucedía en la puerta.

—Dejad entrar a ese mendigo hasta mí —transmitió el venerable—. ¿Acaso no se percibe en sus ojos la hondura de su deseo?

El portero dejó paso al mendigo inclinándose, maravillado una vez más de la clarividencia con que Allah (sea por siempre alabado) había gratificado al Ensalzado.

El visitante atravesó los dos primeros patios y llegó al tercero, acercándose al granado florido bajo cuya sombra meditaba el sufí. Éste le impidió prosternarse y le invitó a hablar. El mendigo era un hombre joven, visiblemente emocionado.

—Ensalzado, siento una fuerza interior, como un imán de Simbah, que me atrae a cultivar la sabiduría. Pero ¿a dónde me lleva? ¿Qué es la sabiduría? ¿Qué busco en verdad, qué me mueve? Dime, tú que lo eres, ¿qué es un sabio?

—El que no se asombra de nada. Absolutamente de nada.

El mendigo reflexionó y, al hablar, mostró en sus palabras una sombra de decepción.

—¿Eso es todo? ¿No hay nadie más sabio?

—Sí. El que se asombra de todo. Absolutamente de todo.

El mendigo asintió con la cabeza y volvió a hablar. Pero ya sin decepción, aunque con desesperanza que no era desesperación:

—¿Y ése es el más sabio? ¿No hay nadie más?

El Ensalzado ya no miró al mendigo sino a través de él. Y no habló al mendigo sino más allá y más adentro:

—Sí, el que se asombra de todo y a la vez no se asombra de nada.

El mendigo entonces sonrió. Si el portero hubiese visto antes aquella sonrisa jamás hubiera pensado en cerrarle el paso. Pero todavía habló, aunque ya confortado en su tranquila decisión:

—Maestro, Maestro... ¿nadie hay más sabio?

El Ensalzado no respondió. Guardó un silencio tan hondo como su mirada. Tan hondo que dejó susurrar a las duras hojas del granado.

El mendigo se inclinó tres veces y se retiró con su última, definitiva respuesta. Se retiró hacia su vida, ya irrevocable.

1972

El llanto de la llave perdida

Costaba trabajo creerlo, pero era el llanto de un niño.

En el acto se ensombreció mi paseo, mi saborear aquel escenario provinciano y su lento tiempo de vivir. Acabó con mi paz la menuda lluvia de aquel llanto sin ira ni esperanza, brotando humildemente de un corazón roto, de una vida ya entregada. Lloraba el niño como se respira: con dulzura, silenciosamente, más allá incluso de la desesperación.

Silenciosamente, sí: ni siquiera se le oía. Era un invisible manantial de pena en la plazoleta de la pequeña ciudad fronteriza, con su castillo y su guarnición imperial a orillas de un afluente de otro afluente del Danubio, no recuerdo cuál. En el silencio de pozo que me envolvía aquel llanto a través de unos muros me traspasaba hasta la médula de los huesos. Era imposible desentenderse de aquel dolor en el aire. ¿Por qué? ¿De dónde venía?

Me enfrenté con el muro altísimo, sombrío, con sólo un par de saeteras y una poterna forrada de hierro oxidado. La humedad trepaba por las piedras enormes. Un muro inverosímil, para pertenecer al espléndido palacio que yo acababa de rodear. Recordé la noble fachada del más puro barroco, la gracia de sus líneas y la armonía de sus huecos a lo largo de la avenida de tilos, abierta por el otro lado al barranco del río, al parque en la otra orilla, a las empinadas montañas de abetos.

Volví sobre mis pasos hasta encontrarme frente al portal y sus soberbias cariátides. Sí, el muro del llanto era la espalda del palacio y la pena en el aire seguía envolviéndome aunque no la dejaran oír los pájaros trinando en los tilos. Mirando bien, percibí el esfuerzo de la fachada para ocultar el secreto sin crispar sus líneas serenas. No pude contenerme y, en un impulso, me adentré en el portal abierto a carrozas triunfales.

Un hombre surgió de una puertecilla como si me esperase, volviendo la cabeza para mirarme porque era algo cheposo. «Sabe que lo he oído», me dije, sin inquietarme. No amenazaba el viejo de los grandes bigotes caídos, pero sus ojos eran extrañamente negros y vivos.

Me dirigí a él con la indiferencia de un simple viajero y me contestó como si no tuviera nada que ocultar. El palacio pertenecía a la Archiduquesa —no dijo el título; quizás era la única para él— desde que enviudó joven, sin tiempo siquiera a tener hijos. Al morir el viejo Archiduque y quedar sola se fue a casa de su anciana tía, al otro lado de la ciudad, pero luego volvió al palacio. ¿Niños? ¡Claro que no! ¿Cómo iba a haber niños en el palacio?

De pronto, un gran estrépito arriba, como de caer un gran mueble. «Oh —respondió ante mi gesto— eso son los señores oficiales.» La Archiduquesa, por deferencia al regimiento que siempre mandó su padre, ofrecía gracioso alojamiento a los oficiales solteros. «¡Y vaya si hacen ruido!... Hasta desde el segundo piso que habitan se oyen sus vozarrones, el taconeo de sus botas, el chocar de sables y espuelas, el golpear de puertas.» El viejo —estaba claro— odiaba a los oficiales, que profanaban el palacio y mancillaban sus tapices con aquellos modales de cuerpo de guardia... Pero leyó en mis ojos su odio al descubierto y, creyéndose sin duda indigno de juzgar a su ama, se replegó en un silencio del que ya no pude sacar sino monosílabos.

Ya en la calle me reí de mi fantasía. La soberbia fachada no ocultaba otra tristeza que la de una noble familia extinguiéndose por falta de herederos varones. Eso era todo. Pero no; en el instante en que ya me alejaba, una mujer apareció tras los cristales del balcón central. Fue una fugaz visión de pálidas elegancias y ojos inolvidables, pero bastó para que todo resultase verdad.

Todo... ¿qué? Todo: el llanto y el secreto. La mujer inexplicada hacía verdadero al niño. El llanto volvía a oírse y el secreto existía. Se me ocurrió buscar en una cervecería próxima, con ayuda de la propina, más explicaciones de una madura y comunicativa tabernera.

—Pues claro que hay otra mujer —me contó—: ¡la Archiduquesa! Sí, al morir su padre poco después del marido se fue a casa de la tía. Incluso puso en venta el palacio, con escándalo de toda la ciudad. Sí señor, el solar de la familia, que hospedó en tiempos al Emperador, cuando todavía se temía a los turcos, y donde hasta el propio Liszt tocó una noche en el gran salón. Donde ella había sido niña y joven, donde se había casado y estaban todos sus recuerdos... ¿Usted lo entiende?

Por fortuna, no hubo comprador y ella pudo volver. Demasiado caro para las gentes del país, que además respetaban demasiado al viejo Archiduque; y demasiado lejano para las grandes casas de Viena o Budapest. La señora conservó el palacio y lo abría al Municipio para alojar a viajeros distinguidos: el señor Arzobispo, el General Inspector, altos dignatarios en viaje oficial... Pero ninguno, cosa extraña, permaneció más de una noche. ¡En un palacio tan espléndido!

Empezaron a correr rumores: en el palacio había fantasmas. Pero no era eso. La verdad se supo por el Superintendente de Aguas y Bosques, que lo confió al abad de los teatinos. Era peor que fantasmas. Apenas quiso dormir Su Excelencia, recién apagada la bujía, sintió como si todas las cosas empezaran a disolverse, a fluir vertiginosamente hacia la nada. Los muebles perdían su substancia, las paredes resultaban decoraciones de teatro, adelgazándose tan de prisa que pronto se abrirían al vacío. Y era terrible aguardar aquel vacío inevitable y absoluto, que acabaría alcanzando al cuerpo sudoroso en el lecho, disolviendo sus fibras y sus vísceras, ya ablandadas, encogidas, convertidas en recuerdo, en ilusión... Sólo conservaba el hombre la consciencia del vacío, fuera y dentro; la dura certeza de su radical soledad. Descubrir que las palabras amigas y las manos tendidas son mentira; que los ojos más amantes sólo fingen. Su Excelencia no pudo más y, enloquecido, saltó del lecho y echó a correr por los salones hasta hallar un criado atónito a cuyos pies se abrazó llorando.

El señor abad acudió en ceremonia con agua bendita para exorcizar el palacio, pero la Municipalidad ya no alojó a nadie más. Meses después la Archiduquesa ofreció el segundo piso a los señores oficiales y a poco, entre el asombro general, ella misma se instaló en la planta noble, servida por algunos viejos criados. Por lo visto, según la irónica tabernera, ni ella ni los oficiales temían al vacío de la soledad. ¡A no ser que se espantasen el miedo mutuamente...!

Pero, ¿y el niño?, pensé. Eso no explicaba el llanto desolado. Era preciso saber y, dejando la cervecería, volví al palacio. Desentendiéndome del portero me lancé por la gran escalera de mármol y empecé a atravesar salones. Sin explicarme cómo, avancé sin vacilaciones, pues sabía muy bien el camino. De pronto, en una sala, un teniente de ulanos con la guerrera desabrochada me miró estupefacto y exclamó rojo de ira:

—¿Qué es esto? ¡Y paisano, además! ¿Qué hace aquí? ¡Fuera!

Cogió su sable de una silla próxima y avanzó hacia mí. No sé lo que hubiera ocurrido de no abrirse otra puerta, dejando paso a la dama del balcón. Vi que me reconocía.

—Basta, Krantz —dijo tranquila. Y al solo esbozo de su gesto, el oficial salió sin mirarme. Ella cerró la puerta y avanzó.

—Sí —dijo—. ¿Quién es usted? ¿Cómo se ha atrevido?

Pero su mano me impuso silencio, como si prefiriese averiguar por sí misma, desconfiando de la mentira oculta en cada palabra. Enjuició mi levita vienesa, mi porte, mis grasientos cabellos, el respeto encubriendo mis latidos... Todo hacía aún más inexplicable mi presencia, a no ser que... ¡pero era tan inverosímil! Me habló como en sueños, desconcertada:

—Usted... ¿Es que no tiene miedo, entonces?

Negué con la cabeza. ¡Claro que lo tenía! Pero no de eso: de lo que a ella evidentemente le obsesionaba.

Apenas se oyó su suspiro, mientras su mano apartaba levemente sus cabellos. Fue hacia el sofá y me hizo signo de sentarme también. Había olvidado su arrogancia; estaba como recogida sobre sí misma.

Le hablé de lo que me revelaban sus grandes ojos, habitados de insomnios. La soledad: ¿qué puede haber más grave para una mujer reducida a una compañía cualquiera cada noche, para no sentirse sola ante el alba que nos desnuda por dentro? Así era;

por eso me escuchaba ávidamente aquellas palabras nunca oídas a las gentes en torno suyo. ¡La soledad!: yo sé que, al empezar la noche, la carne llega a olvidar, pues no desea otra cosa. Pero llega el alba implacable, la hora en que mueren los músicos y los poetas, cuando el otro —quien sea— duerme de fatiga caliente... Y ella —sus ojos lo decían— no gozaba jamás de esa lasitud del cuerpo. Se veía forzada a mirar las grietas del mundo con ojos agrandados y sin aire en el pecho.

Ella asentía, sorprendida. Seguía sin explicarse por qué. De pronto, interrumpió una de mis pausas:

—¿Y usted ha entrado así, solo? ¿No le trajo nadie?... Entonces, ¿de verdad no tiene miedo, miedo de entregarse?

—Había de entregarme, si quería probarle que no está usted sola. Que otros la acompañamos, pagando también con esa soledad nuestra sensibilidad.

—Pero, ¿cómo ha logrado adivinar? ¿Cómo ha podido verme... así, tal como...?

Fue entonces, de repente, cuando me traspasaron de nuevo los sollozos infantiles, llegando desde abajo. Comprendí que en un subterráneo en quién sabe qué olvidada cripta, cuya llave se perdió hace años, un niño lloraba incansable, pedía socorro, compañía, caricia de manos, roce de cuerpo. Mansamente, sin ruido, como en la plazoleta.

La dama estaba atrozmente pálida. Sin duda ella oía a todas horas aquel llanto; para ensordecerse buscaba cada noche la ronca voz del hombre y su sudor, la osadía de sus manos, las espuelas del amor. Para, con ayuda de un poco de vino, embriagarse lo necesario para soportar la vida, para querer seguir viviendo.

Y el niño —descubrí— era una niña. Se llamaba igual que la mujer; había nacido el mismo día, de la misma madre. Y aunque el palacio resonara con los ecos del llanto, el subterráneo no estaba en su fondo, sino en el de la mujer. Cuando ella perdió la llave de su propio corazón —¿por qué tragedias infantiles?— empezó a llorar allí la niña y desde entonces lloraba encerrada, inalcanzable. La mujer oía el desesperado llamamiento, agonizaba en deseos de acudir a él, de asir las manitas tendidas en lo oscuro, de apretar contra su cuerpo a la niñita hasta fundirla en su carne... Pero no se movía.

Me miró, comprendió que yo también oía el llanto y se sintió a salvo de la locura:

—¡Usted también, usted también! —y rompió en lágrimas—. Entonces, ¡es verdad! ¡Llora, llora de veras!

Me conmovió tanto reconocer en su llanto el mismo abandono que en el de la niña, más allá del dolor y de la pena, que la estreché en mis brazos y empecé a consolarla dulcemente, con palabras infantiles, como si abrazase a mi propio niño. Pero ella tenía un espléndido cuerpo de mujer y la sangre en mi cuerpo de hombre lo notó. Sentí su cuerpo envararse y rechazarme con una mano, mientras la otra seguía reteniéndome, porque veía en mis ojos que yo no había buscado aquello.

Pero aquellas manos contradictorias acabaron de revelarme en qué potro de tortura vivía atirantada. Ella necesitaba creer que no iba hacia la niña porque había perdido para siempre la llave y hay barreras impalpables más densas que el granito. Pero en verdad no acudía por miedo a encontrarse en la niña con ella misma; a enfrentarse de nuevo con el dolor insoportable que creyó haber enterrado años atrás. Temía que la niña le contara sus penas, las crueldades sufridas de todos y de la propia mujer, aunque ésta no fuera verdugo, sino víctima. Por eso la dama temía encontrar un guía hacia el subterráneo, aunque lo deseara tanto: alguien lo bastante valiente para llevarla de la mano, por entre los monstruos de lo desconocido, hasta el fondo en que lloraba la niña.

Yo no podía decírselo: eso hay que descubrirlo. Y yo no tenía tiempo, ni vida por hacer para guiarla al subterráneo. Para descender juntos hubiera sido preciso escuchar días y días el llanto silencioso, tendidos uno al lado del otro, hasta que ella perdiese el miedo. Y además, lo necesario no era salvar a la niña —es decir, volver a ella— sino, al contrario, dejarla atrás del todo, madurar haciéndola morir.

Cuando oyó tales palabras —y eran ya lo único que yo podía hacer por ella— me miró aterrada, indignada casi: ¿acaso aquel manantial de llanto no era la razón de su vida? Pero insistí, para que afrontase la verdad. Era preciso hacerla morir de la única manera posible: dándola a entender que la mujer ya no temía oírla, ni tampoco necesitaba oírla. Que no se inmutaba ante el llanto interior, que las penas sin nombre habían muerto del todo.

Me miró ya sin escándalo, pero con desaliento. Nunca lo lograría ella sola; leí en sus ojos. Ciertamente, necesitaba un hombre raro: lo bastante fuerte para no temer al llanto en el sótano perdido, lo bastante sensible para poder oírlo y conmoverse con él. Para acompañar a la mujer precisamente en el alba, hasta acostumbrarla a llevar en el corazón a la niñita, dormida ya en la paz de la muerte indispensable.

La mujer comprendió que nuestro encuentro había llegado a su fin y, poco a poco, fue aflojando su presión. Al cabo, con rostro ya casi sereno, llevó mi mano a su rostro y la rozó con los labios.

Me levanté y empecé a desplazarme como una sombra, atravesando los salones. Descendí la escalinata sin encontrarme a nadie.

No volví a la plazoleta ni continué mi paseo. Acabé la tarde inmóvil en un banco, oyendo a la banda de la guarnición tocar tandas de valses. Luego me fui a la estación y subí de madrugada en uno de esos largos trenes de lujo, que corren sin etapas de una gran capital a otra y paran a altas horas en una estación provinciana para tomar agua o carbón, sin que casi nadie se apee o suba nunca.

No he vuelto a aquella ciudad; no he sabido nada más de aquella mujer. Pero ¡cuánto deseo que haya encontrado al hombre sin su vida ya hecha y capaz de hablarle como yo lo hice! Alguien, en fin, que lleve —como yo desde hace tiempo— un niño muerto de llanto en el subterráneo de la llave perdida.

1972

Ebenezer

A Phyllis Turnbell

El gato se llamaba *Ebenezer*, pronunciado *Ebení-zer*, con la *i* muy larga y la *z* suavita, y hasta quizás con alguna *h* por ahí, pero siendo muda cómo iba a saberlo yo, pobre forastero de la lejana Europa. Sí, *Ebenezer*, nombre ya sugeridor de altísimos destinos, alguien estuvo inspirado al bautizar al gato, quizás la señora de la casa, Mrs. Winsby, tan segura siempre de todo, con sus gafas prendidas del cuello por la cadenita de oro, sus pies tomando posesión de la tierra, las manos como empuñando el rifle de los pioneros en caravana hacia el Oeste, ¡asombrosa Mrs. Winsby! Seguro que fue ella —aunque, repito, inspirada por Dios, el verdadero, el ceñudo sheriff con exactísima balanza para buenos y malos— quien concibió el nombre como en un relampagueo de lo alto: «*Ebenezer*», proclamó al nacer el gato, y así brotó el Nombre, como en el Génesis de la bisabuela galesa, y cedieron las dos niñas y el marido se resignó, pues secretamente prefería una gatita, para llamarla «*Linda*» —nombre muy *Spanish*; es decir,

201

mejicano, como ustedes ya saben— y poder así pronunciar con amor algún nombre femenino, por una vez en su vida, pero el gato nació varón y no hubo manera.

Bueno, suponiendo que naciera, tengo mis dudas, no es posible dominar el mundo como *Ebenezer*, ser tan amo y señor, y haber pasado por la cruz del nacimiento, ese repulsivo y humillante acto, así es que *Ebenezer* surgió de la tierra o bajó de la nube, se materializó tal cual en su plenitud y tomó posesión de la casa, de Bryn Mawr, de Pennsylvania, de los USA que aún no eran cincuenta, de América, del planeta Tierra, de la Vía Láctea. Se hizo *Ebenezer*, como la luz se hizo y, desde entonces, todo le rodeó para su gloria, la pequeña Laurie Jo era su odalisca si el sultán condescendía a dejarse acariciar, la rubia Clara Lou le ofrecía al cogerlo en brazos la doble almohada de sus pechitos jóvenes, Mr. Winsby era su esclavo para servirle el contenido de las mejores latas del supermercado —*Kitten Wonder (A pet is worth a baby: More love with less trouble)*— y aguardaba inquieto el dictamen olfatorio de *Ebenezer* frente a la dietéticamente calculada mezcla; pero, qué digo, si hasta la propia Mrs. Winsby rendía culto a *Ebenezer*, con el más alto rango, claro, Suma Sacerdotisa, pero al fin sierva, yo la he visto, palabra, con estos ojos que se comerá la tierra, arrodillada ante el Señor de los Creyentes en su sillón o trono preferido, un día que volví demasiado pronto de mis clases y entré hasta el gabinete, amortiguaron mis pasos las alfombras —turcas, heredadas del padre misionero de Mrs. Winsby—, la sorprendí genuflecta, retrocedí asustado antes de que me viera, sacrílego desvelador de Eleusis, imposible Mrs. Winsby arrodillada, adorante aunque fuese de *Ebenezer*, me costaría la vida el ser descubierto, muy justamente me desollarían vivo las ménades, volví a entrar dando un portazo, salió a mi encuentro Mrs. Winsby, un poquito sofocada, me puse colorado al notarlo y enrojecí más aún de pensar que ella podía pensar que yo pensaba, en fin, salí huyendo por la escalerilla trasera hacia mi cuarto abuhardillado, y me senté en la cama a sosegar los golpes de un corazón a punto de romperse.

No se extrañe nadie, aquel misterio no era para ojos de mortal, yo solamente digno, como todos los demás, de participar en las ceremonias públicas. Empezaban temprano, a la hora de los desayunos, entre el olor a huevos y bacon junto al ahumado de mi té chino —extraña costumbre española, por supuesto, ese *Lapsang Suchong*— que logré defender pese a mi débil voluntad, mi único gesto de independencia después de todo, nos movíamos por la amplia cocina, entre los hornillos y la mesa colonial, me gustaba el azúcar de arce, Mrs. Winsby atenta a todo, muy eficaz, condescendiente, cordialísima, «venga, míster Sampidrou, acérquese; y, recuerde, no le llamaré Joe mientras usted no me llame Tallulah, je, je», pero no conseguía como otras veces la naturalidad de su risita, pensaba en otra cosa como todos, incluso como yo a pesar mío, nos tenía en vilo el esperado retorno, casi una diaria resurrección como la del sol, ¿vendrá o no vendrá?, para eso se alzaba la ventana justo lo exigido por su estatura, se colaba la niebla de febrero, nadie lo mencionaba pero allá volaban nuestros pensamientos, allá los ojos de Laurie Jo y Clara Lou temerosas de partir al colegio sin saberle en casa, iba creciendo el pánico, todos pendientes de la rendija comunicante entre el Otro mundo suyo, lleno de cósmicas fuerzas, y la campana doméstica para proteger nuestras débiles vidas, la casa termostáticamente caldeada, aislada, a salvo de toda contingencia menos los terremotos pero, como es justo, el Dios de Mrs. Winsby sólo permite tales plagas en los países que las merecen.

De repente, ¡ya!, nunca le vi llegar, siempre materializarse así, lo que digo, ni nació ni nunca morirá, surgirá en la ventana por los siglos de los siglos (*éimen*) como entonces: episcopal y orondo, revestido de negro terciopelo, erguida la doble mitra de sus orejas, replegado su cuerpo en perfecto y oscuro huevo primigenio, parpadeando sobre las dos esmeraldas tajadas por la vertical hendidura hacia los internos abismos felinos, paseando la afilada lengua rosa por sus fauces, como relamiéndose aún de su cabalgata nocturna, antes de condescender a recibir el culto de Mrs. Winsby, función pesada de Ser Supremo y sin embargo necesaria para la paz de los míseros humanos. Un secreto «¡ahhh!» de alivio estallaba en nosotros y ya el desayuno podía ser tibia rutina, en cuanto *Ebenezer* alargaba una garra tras otra, de la ventana a la mesita y de la mesita a la silla y de la silla al suelo, dignándose aceptar otro día más de un ceremonial que sería demasiado largo describir.

Yo me iba, afortunadamente, hacia los tudorianos edificios de la Universidad, hacia su dulce paz con las inocentes bromas de mis comprensivos colegas en el *coffee break* de la vieja *Deanery*, ejerciendo de camino mi importante función de peatón de Pennsylvania, único testigo viviente de la civilización premotorizada, para ilustración y pasmo de los niños llevados a la escuela en los enormes autos, después de rebasarme seguían mirándome sus caritas desde la ventana trasera, «Daddy, ¿por qué anda ese hombre?», «daddy, ¿será el fugado de presidio que dijo anoche la tele?», «¿es un marciano, daddy?», pero mi peatonismo es otra historia, mera patología del subdesarrollo.

El caso es que me pasaba el día en el paraíso, en el académico mundo verde y gris, blanquiazul en lo alto, sus estremecimientos las ardillas, sus pájaros las muchachas, su fervor el estudio. Yo vivía de día, era al revés que el nocturno *Ebenezer*, casi siempre regresaba yo a casa a tiempo de verle alzar el vuelo, solía estar preparándome mi cena, en el trascendental momento de darle la vuelta al mundo como los escenarios giratorios, *exit day enters night*. Aparecía en la puerta *Ebenezer*, seguido de Mrs. Winsby, angustiada aunque simulando indiferencia, y deteniéndose al pie de la ventana la miraba imperioso, sus ojos una orden como rayo del Señor en otros tiempos, hoy el Super-Láser-Desintegrador de los invasores galácticos, Mrs. Winsby sufriendo, acercándose sumisa, abría el cristal lo justo, ni más ni menos, un cuchillo de fuera nos hería, unos olores húmedos caían como insectos peligrosos sobre nuestros pobres olfatos, una vivencia de lo Oscuro nos estremecía y un *Ebenezer* transformado, puro nervio de pronto, eléctricamente disparado, se fundía de un salto con la noche, dejándonos un recuerdo de pelo erizado, de rabo erecto rozando obscenamente la mano femenina, de aullido demoníaco anunciando el aquelarre, mientras Mrs. Winsby se apresuraba a estrangular con la ventana el mensaje de lo negro, lo violento, el olor a sangre y a jadeos eróticos. Más tarde, a través de mi ventana cerrada, he oído muchas veces a *Ebenezer* —tan hierático y silencioso durante el día— desplegar su rico idioma nocturno: ronqueos de amenaza, dulces requiebros maullados, alaridos de combate, gritos de posesión y hasta alguna verdadera «canción de amor desesperada».

¿Cómo le toleraba Mrs. Winsby esa doble vida al dios del hogar, al compañero de las dos vírgenes, cómo lograba *Ebenezer* ser el amo del mundo sin merecerlo, al contrario, incluso despreciando a sus fieles con tan escandalosas nocturnidades, tan contrarias —bien las imaginábamos todos— al recto mundo de los Winsby, amados del Señor? ¡Qué diferencia con *Ricky*, el viejo perro de mi amiga! De porte episcopal, nada, guedejas enmarañadas y de dudosa coloración; tampoco imperio alguno sobre los humanos, más bien temeroso gruñir y repliegue bajo la mecedora victoriana; de vida nocturna, no digamos, aquelarres y canciones de amor impensables por completo. Cuando, camino de mis clases, veía yo a *Ricky* en el portal de la casa, comprendía mejor a mi amiga al verla capaz de querer a *Ricky*, sin cultos ni adoraciones, por supuesto, como nos quería a todos, en secreto, bajo una pudorosa reducción del amor a mera convivencia civilizada, a camaradería casi brusca, ocultando así mejor la fervorosa entrega que no está bien mostrar, ya nos enseñaron los explotadores de las Biblias que el amor es pecado, sólo tolerable si le aplastan las convenciones destinadas a sofocarle, por eso cuando se ha nacido con mucho es tan duro el esfuerzo de acallarlo, ir con cara de desdeñar el amor y de adorar otras cosas —el éxito, la respetabilidad, el poder y, por supuesto, el dinero—, pues ¡ay de quien trasluzca el amor que lleva!, sólo se le toleran esos gestos de reconocimiento para sociedad secreta, esos signos que sólo captamos los enfermos de lo mismo, aunque con frecuencia no nos atrevamos a responder a ellos, por desgracia, hasta que ya es muy tarde, demasiado tarde.

Pero en *Ricky* se delataba mi amiga como portadora de tanto secreto amor, pues mucho era preciso para querer a *Ricky*. Ni siquiera en sus clases se le notaba y era preciso saber cuán a fondo conocía a cada alumna, con sus fuerzas y flaquezas, para comprender que siempre daba dos diferentes clases a la vez. Una era un acto mental en el consabido escenario de mesas y libros, donde las cabecitas niñas recibían conceptos, contestaban preguntas, devanaban los verbos irregulares, seguían la mano de mi amiga escribiendo los ejemplos sobre el encerado. La otra clase era un acto de amor, en el mundo intangible de los campos vitales, interpenetrado con el de madera y cuerpos, donde todo el amor de mi amiga se derramaba, donde se entregaba como era, donde con ejemplos de gramática declaraba su amor a todos, la sed comunicante de sus brazos tendidos. Las muchachas no eran conscientes de la segunda clase, pero recibían el tesoro aun sin saberlo, allá dentro quedaba la tibieza, era preciso tener mis años para notarlo, para sentir el significado de aquella indescriptible sonrisa al acabar, la del atleta cansado pero feliz, llegue o no el primero se ha dado todo, en uno de esos momentos me dijo un día, en voz cómplice de sociedad secreta —pues yo también me delataba, ella me había descubierto, hoy lo sé con certeza—: «¡Qué ricas son estas niñas!, ¿verdad?», y yo no respondí, se me estranguló la voz ante tan prodigiosa ternura en el susurro, ante aquella confesión y grito de triunfo.

Usaba mucho esa palabra —rico, ricas— porque se había asimilado el sentido cordial que se le da en España, como se había asimilado tantas cosas nuestras, y tiene gracia que eso me sirviera para ofrecer a Mrs. Winsby una explicación inventada del nombre de *Ricky*, sajonización de la voz castellana «rico», le conté; es decir, adinerado, y claro eso ya es razonable, además daba a entender que el perro venía de allá, eso explicaba todo, pelaje indefinido, gruñidos perrunos, todo, en fin, aunque dejase sin justificar cómo mi amiga, tan de la Nueva Inglaterra, poseyera tan extraño animal, aunque, bien mirado, todo puede esperarse de quien no tiraniza a ninguna familia en torno suyo.

Seguramente soy injusto con Mrs. Winsby que me trató siempre de modo irreprochable, con toda la cordialidad requerida por las circunstancias, pero es que le achaco la divinización de *Ebenezer* y ahora que estoy más allá del océano —dudo que eso me salve, sin embargo— confieso haber llegado a aborrecer a *Ebenezer*, llegué a odiar su tiranía, su estéril sultanato doméstico, su opulencia alimenticia cuando pasan hambre tantos niños, su ostentosa convicción de que era el sol del mundo Winsby. Y, sobre todo, su escandaloso salto hacia la orgía cada noche, tenía gracia, me gustaba ver celosa a Mrs. Winsby, pues nos despreciaba al irse, nos castraba, y eso precisamente me inspiró una venganza, cuando los Winsby hubieron de pasar veinticuatro horas fuera para no sé qué reunión familiar en Baltimore, creyó Mrs. Winsby poder confiármelo puesto que era fin de semana, me da un cierto reparo pensar cómo la engañé, no a propósito, desde luego, en fin, no sé.

Así es que salieron temprano, subieron a su interminable automóvil y todavía desde lo alto de los no sé cuántos caballos al freno me exhortó Mrs. Winsby a no olvidar ni una de sus meticulosas instrucciones, escritas en un papel como Tablas de la Ley, las latas de *Kitten Wonder*, el agua, el silencio mientras el Señor dormía en su sillón, las latas otra vez pero distintas, y sobre todo las dos conexiones entre ambos mundos ebenezerianos, la abierta ventana hacia la noche, la cerrada guillotina por la mañana, ellos llegarían antes de mediodía, de las siguientes latas no había que preocuparse, y yo diciendo que sí, que bueno, que O.K. Mrs. Winsby, poniendo cara sumisa, de fiel barredor de los patios del templo, acólito de la Suma Sacerdotisa, mientras ya estaba traicionando sacrílegamente con la intención.

En fin, para hacer breve una larga historia (frase de Mrs. Winsby, todo se pega), seguí fingiendo durante el día como traidor de melodrama, celebré puntualmente todos los ritos, tanto nutricios como al contrario, dudo que ni el mismísimo *Ebenezer* sospechase nada hasta el momento supremo y bien saboreado de mi venganza: cuando, con pisadas de pirata, seguido por mí en lugar de Mrs. Winsby, se acercó ya de noche al pie de la ventana y me lanzaron sus ojos la orden imperiosa.

Pude haberme librado de la prueba, pude no ir

tras él, pero eso no era vengarse. Resistí su primera mirada, rayo del Señor, Super-Láser-etc., tuve miedo pero no abrí. En las hondas piedras verdes parpadeó el asombro y luego se repitió el relampagueo. Permanecí en espera de no se qué, seísmo, anatema, mi desintegración física. Después, ¡asombro, asombro!, por primera vez dentro de la casa se oyó un maullido quejumbroso, con él se resquebrajó el dios, siguió gimiendo ya caído de su pedestal, perdida la dignidad, se arrastró hasta mis pies, ¡qué triunfo!, comprendió que era inútil, saltó a la mesita, se estiró hacia la ventana, chirriaron sus uñas contra el vidrio, una y muchas veces, *Ebenezer* se retorcía desesperado, torpe moscardón estrellándose sin pasar a la libertad, ¡qué degradación!, si lo ve Mrs. Winsby se desmaya, a tan ridículo contorsionista se había ella rendido genuflecta, aquel payaso había recibido su adoración. De repente comprendió, cesó en sus intentos y retornó a su ser, olvidó la ventana y me disparó una mirada espeluznante, por suerte comprendí a tiempo, noté sus músculos hechos resorte mortal, vi el dedo en el gatillo asesino y me salvé por milésimas, salté yo primero, alcancé la puerta cuando ya volaba su violencia camino de mis ojos, subí a trancas la escalerilla, entré en mi cuarto y atranqué la puerta con la mesita, justo dejando fuera los alaridos escalofriantes. Me encogí de miedo.

Sólo entonces comprendí, aterrado, la situación, cazado en mi propia trampa. ¡Qué ciego fui, cerrando previamente a *Ebenezer*, con estúpido celo, cualquier posible salida! Así que yo estaba sitiado y toda la casa entregada a su furia, me heló el espanto, me imaginé sus intenciones, ¿y si yo saliera a abrirle?, ¿sería tiempo todavía?, pero mis ojos, todo él puro proyectil, sus garras, la sangre y el humor vítreo brotando por mis córneas desgarradas, me vi Edipo; además ya era tarde, ya había descubierto que la casa era suya, estaba ya vengándose de mi pobre venganza, al otro lado de la puerta solamente silencio, el más amenazador de los vacíos.

Se abatió mi cabeza pensando en mañana, recordé los dos grandes tibores chinos, sólo tenía que apoyarse contra ellos, los muranos del famoso viaje a Europa, la cristalería en la hornacina con el fondo de raso azul, las tapicerías, cuánta tela que rasgar, cristal para quebrar, porcelana que romper, recuerdos de las niñas, tesoros de Mrs. Winsby, la sagrada Biblia de la abuela galesa, todo un terremoto impune al alcance de *Ebenezer*, como en los países indignos a los ojos del Señor, por mi culpa, por mi culpa, por mi grandísima culpa. Si al menos hubiera yo dejado abierto siquiera un solo hueco, pero no, eso fue lo único perfecto en mi venganza, rompí todos los puentes, quemé todas las naves, me encerré con el enemigo exasperado en su deseo, herido en su orgullo divino; ¡ay! ¿no se acababa de romper un tibor o uno de los espejos venecianos?, pero eran mis temores, no se oía nada, había comenzado por el otro extremo de la casa, la biblioteca, ¡qué desastre mañana!, si yo corriese a abrir la puerta grande, pero si encendía luces se me abalanzaría y en la oscuridad yo no me atrevía, perdido sin remedio yo sitiado y en la biblioteca el gato negro lanzado a demoníaca destrucción...

¡No! ¡Estaba junto a mi puerta! Le oí como otras noches, maullaba igual, el mismo prolongado requiebro a la hembra saliéndole de las entrañas, pero ¿cómo, estando solo?, no tenía sentido, carecía de razón, ¡justo, la locura!, *Ebenezer* loco, el miedo me heló la médula, ambos en la casa oscura, solos en el fondo del mundo, una historia de Poe, el gato loco y el profesor que desató a las furias, la casa entera resonaba de maullidos, todo el repertorio de sus orgías, atravesando la puerta me llegaba su olor en celo, el sudor amoroso de sus imaginaciones, hasta

imitaba en su locura otro maullar de hembra; y así
horas y horas, taladrando mis tímpanos viviendo en
la demencia una de sus noches, hasta los gritos finales de triunfo, hasta la «canción desesperada», y
yo a cada momento temiendo que se curase y empe-
zara a destruir cuerdamente, pero también temiendo que ya no curase nunca, su locura caería sobre mi
cabeza, ¿qué iba a ser de mí, qué dioses había yo
provocado?, ¿Mrs. Winsby con el rifle de los pioneros apuntándome?, ¡qué lenta giraba la noche! ¿y si
yo acabase también enloqueciendo?, aquellos maullidos de loco...

Cesaron o no sé, debí amodorrarme al final, por
mi ventanita entraba una primera claridad, tras de
la puerta sólo silencio. ¿Consumada la catástrofe,
destrozada la casa, suicidado *Ebenezer* abriéndose la
cabeza contra los muros? ¿Quedaban siquiera muros, no se caerían como papel al abrir yo la puerta?
La angustia venció al miedo, salté, no me había des-
nudado, aparté la mesita, abrí, en el pasillo a oscuras vago claror por la puerta del baño, bajé la escalerilla con cuidado pero nunca chillan tanto las
maderas como en los sobresaltos del alba, en cualquier momento me atacaría el dios enloquecido, me
destrozaría, pero ya nada me importaba, sólo saber
para escapar a la angustia, atravesé la cocina enfria-
da, el vestíbulo desierto, el salón, el gabinete, al parecer intactos, tranquilamente dormidos muebles y
telas, ¿cómo se habían salvado?, ¿soñé acaso mis te-
rrores?, pero aún olía mi sudor a miedo, empecé a
lamentar ya el seguro cadáver gatuno, fui subiendo
la escalera sintiéndome asesino, penetré donde nunca había estado, en el mismísimo dormitorio de
Mrs. Winsby, percibí su empapelado celeste, crucé
el umbral, allí me petrifiqué: un bulto sobre la col-
cha gris perla, *Ebenezer* inmóvil pero muy hinchado,
no, algo a su lado, un extracuerpo, ¿qué?

¡Otro *Ebenezer*, reencarnación, desdoblamiento

mágico!, giraba mi mente atónita, en el entrelaza-
miento adormilado sobre la cama brilló un par de
esmeraldas vivas, después otro par, volvieron a ce-
rrarse indiferentes, dos *Ebenezer*, me aterró lo inexplicable, huí ante el misterio, yo era el loco, sólo al
llegar a mi cuarto empezó a ocurrírseme lo otro,
Ebenezer había realmente vivido su noche de siempre, había hecho el amor y esta vez en el castísimo
lecho de Mrs. Winsby. Quién sabe por qué chimenea, por cuál respiradero del desván, impracticable
para la salida pero no a la entrada, había logrado
unírsele su compañera, así tenía que ser, o eso o bru-
jería y mi locura, me tumbé en mi cama, me aplastó
de golpe todo mi agotamiento, caí en sopor hasta la
hora habitual del desayuno.

Bajé rápidamente, sometido ya, consciente de mis
deberes hacia el Gran Señor, y esperé su Aparición.
Esta vez fue en la puerta, y, claro, con la gata, ad-
vertí entonces qué diferencia entre *Ebenezer* y una
felinidad femenina, más estilizada, qué delicia, no
esperé a su mirada imperiosa, abrí la ventana mientras ella aún se restregaba toda contra el cuerpo de
Ebenezer dedicándole un suavísimo maullido, esperé a que saltara deslizándose bajo el cristal levantado, lo bajé al punto y al volver a mirar a *Ebenezer*
interpreté sin esfuerzo otra orden, como si ya hubieran programado mi cerebro para acólito de la Suma
Sacerdotisa, saboreando el orgullo de servir a *Ebenezer*, abrí una lata de *Kitten Wonder* y la vertí en el
fino cuenco junto al cual ya me esperaba. Su lengüe-
teo, sus chasquidos de mandíbulas, su relamerse
rosa sobre negro, ¡qué voluptuosidad me producían:
como gozar los gestos íntimos de una amante!

1974

Aquel instante en Chipre

Ese niño, quién iba a preverlo, qué importa, ya todo listo, la bomba entre los mirtos, el seguro quitado, su madre se irá pronto, no va a quedarse en este cafetín, no suelen aunque esté el marido, entonces apretar el botón y cinco minutos, por qué le dejó ahí jugando, sólo a tres pasos, con su carrito barato, da igual, debe hacer fresco, se mueven las adelfas, pero este pañuelo a la cabeza, cómo lo soportarán, y qué ganas de ponérselo, aquella de la escuela, ¿se llamaba Sudeiya?, tan ufana, «mañana me lo ponen», se le marcaban los pechitos, se sabía con quién la casarían, los turcos son así, pero ese niño, no puedo esperar, las chicharras ¡cómo aturden!, ¿dónde está el instinto materno?, ¡tanto que dicen!, nada de nervios, pero esos ojos, olvidan el juguete, ¡me miran, hondísimos¡, taladros de azabache, como si lo supiera, ¡ay, lo sabe!, cálmate estúpida, no es posible, pero traspasan mi disfraz, «¿tendrás valor?» preguntan, «¿serás capaz?» me gritan, ¡seguro! a eso vine, sin ti ya estaba hecho, aun contigo lo haré, no vas a parar el mundo tú, un engendro de turco, no sé qué me detiene, para eso me puse la

213

eterna gabardina de ellas, las medias en verano, el pañuelo, «verás si soy capaz» replico a esos ojos, verás mi fuerza, tengo cien mil motivos, qué sofoco, eso, a tu juego, sin enterarte, la arena se te cae fuera del carro, motivos, hogueras de motivos, qué fuego, la tarde va al revés, al mediodía en vez de hacia la noche, qué incendios en el aire, dominarme, no me falta paciencia sino tiempo, se me acaba, ¡claro que lo haré!, tantos muertos guiando mi mano, tantos compañeros, Yiorgos con su boca de hombre, sus tres cicatrices, esta tierra griega, aquella montaña malva, el verde en su ladera, allí mana la fuente, aquella excursión, tío Hector con la *buzukía*, la vieja canción prohibida por los turcos, la alegría de madre, ¡aquella excursión!, maldito niño, lo haré, ¿me oyes?, tal como lo soñé en la cárcel, aquellos díasnoches, horror y muros, el resplandor de este instante, encendido por mí, derribar vuestra paz, la tarde bien hermosa, precisamente, paz robada, nosotros sin ella, en nuestras madrigueras, pensar este momento me mantenía viva, yo pedí esta misión, «aún estás débil» opinó Andros, pero era mía, hablo el turco como vosotros, lo aprendí como tú, de mi niñera en los buenos tiempos, Adviyé, ayunaba durante el Ramadán, me divertía provocarla, comía mi melocotón frente a ella, el zumo resbalando por mi barbilla, mira que llamar buenos tiempos a la tiranía inglesa, al menos dejaban vivir, no degollaron a mis padres, ¿comprendes ahora?, me los matasteis, ¿cómo voy a tener sentimientos?, a vuestro estilo bárbaro, la mano gozando del acero en la piel, filo cortando el grito, vida derramándose en rojo, Yiorgos encontró las gafas rotas, las de leer crónicas de Bizancio, Ana Commeno, Michelis Psellus, viejos libros de padre, y las llaves de madre, ya no abren nada, los muebles ardiendo con la casa, mi pecho abren y parten, mi granado junto al pozo, y vosotros ahí riendo, café, limonada, *lukum*, sandía, también

degollada, celebrando el aniversario, maldito armisticio, ¡qué fracaso de coroneles con tanta ave fénix!, mejor Makarios, pero Grivas, sólo Grivas era verdad, y ahora qué, medio Chipre robado, la isla degollada, de oreja a oreja, de Skouros al cabo Matziris, su dulce garganta de valles y montañas, qué paraíso, subíamos al Kolyon en otoño...
... ¡divago, divago!, debo estar débil, sí, loca, acción, acción, no espero más, ardo, y no me claves tus ojos, es inútil, aunque miren inocentes, los míos también lo eran, aunque sigas ahí da igual, ojalá fuera más potente, la de Hiroshima, desplomar el cielo, tu madre está loca, ¡vete ya, vete, vete!, serenidad, te regalo unos minutos, ¿qué aguardas si ya sabes?, que no soy estudiante, no espero a otra, mi cuaderno abierto puro disimulo, vete con tus ojos, Escriba Sentado, testigo del mundo, ¿inocentes?, ¡conozco tu inocencia!, la del nieto de Adviyé, jugando conmigo y asaltante de mi casa, heredarás la daga de tu padre, sólo te concedo hasta llegar la sombra a mis pies, la de esas adelfas, ¡cómo le gustaban a madre!, no esperaré más, me abruma el pañuelo, de qué aldea seréis, en Larissia ya hay un minarete junto a San Panteleimon, sus cupulitas, blanquísimas entre los olivos, y no digas Sinadjé, fue Larissia por siglos y siglos, grabado está en el bronce, lo gritan las hachas de las necrópolis, como gritan Kypros, lo gritan las chicharras, lo gritará mi bomba, ¡Kypros!, ¡qué estallido!, no me acoses, inútil, sólo me dejasteis el odio, llévenme de una vez, déjenme libre, la sombra ya en mis pies, al cafetero le extrañan mis zapatos, si supiera qué ocultan, mi pie horrible, sin las uñas que me arrancasteis una a una, para que delatara, ¿a quién, si era inocente?, lo sigo siendo, no armo yo la bomba, te lo juro, la armáis vosotros, los verdugos, tu padre entre ellos, por qué no, jadeando sobre mí entre aquellos muros, destrozándome mi noche de bodas, uno tras otro

hasta desmayarme, qué harían después, me amputaron la maternidad, ¡qué crueldad operarme!, mejor haberme desangrado allí mismo, ¿y vas a importarme tú ahora?, ¡si nunca tendré un Yiorgos pequeñito!, ¿te enteras?, no doy vida sólo muerte, así me hicisteis, ¡márchate, malditos tus padres!, cae el sol, ¿no ves la sombra escalando mis piernas?, ya he pagado, no tengo más pretextos, apretar el botón y hecho, cinco minutos para irme, incluso sin desenvolverla, peor para todos, para mí, llegó el momento, sí, adiós cachorro de puñal, sangre de arenilla en tus manos, ojos implacables, no me mires, no mires ahí tampoco, no hay nada, ¡te digo que no hay nada, los mirtos, un papel!, ¡no, de pie no!, así, bamboléate, a ver si te caes, ¡no avances, no hacia ahí!, ¡un papel nada más!, ¡no se toca!, ¡no!, ¡niño!...

(La estudiante ha cogido al niño. La madre acude.
—Iba a caerse.
—Démelo. Ven, Nureddin mío.
—Por eso le cogí.
—Gracias. Ven con tu madre. ¡Suelta ya a la señorita, Nured!
El niño se aferra a la muchacha poseída por el cuerpecito vivo. Tibia, tierna resistencia, seda de las piernas, melocotón de la cara, afán de manecitas, dos dientecillos únicos en la sonrisa, olor lácteo.
Llevado por la madre, aún tiende sus bracitos. La muchacha recoge sus cosas, incluso aquel paquete. Se aleja.)

... ¿qué hice, cómo fue?, ¡cobarde, cobarde!, pero ¿quién?, yo no, yo no fui, no le quise en mi cuello, le odiaba, ¡estaba resuelta!, ¿qué fuerza entonces, quién?, traidora, a todos, cómo mirarles a la cara, «podéis confiar en ella», dijo Yiorgos anoche, ¿fue anoche hace ya un siglo?, ¡me doy asco!, Katerina, Manolios, traición, mis padres, mi granado quemado vivo, míos ya no, los perdí, todo, me haré justicia, apretar el botón para mí, estallarla ahora, no merezco ni eso, devolverla a manos dignas, para hazañas dignas, mi castigo la vergüenza, el éxodo, rodar, caer, acabar, ¿cómo fue?, ¿quién?, arranqué mis raíces, seca para siempre, morir sola...

(Meses después, en el campo de Salónica para huérfanos chipriotas, ingresará una nueva voluntaria. En el patio la envolverá el vocerío infantil. De repente, otros dos azabaches la traspasarán, una catarata estallará en su pecho. Abrazará llorando a su Nured, su Yiorgos; se fundirá con él.

—¿Es algo suyo? —preguntará la Directora, conmovida.

—No... Sí, sí, ¡sí!)

1979

En la misma piel del tigre

—¿Qué, sigue dentro?

—Podías saludar, por lo menos —me reprocha Mariano—. Sí, sigue dentro. ¡Calma, hombre, calma! No puedes ni resollar. ¡Ni que fuera tu primer caso!

Tiene razón; he venido corriendo. Me fastidia que lo haya notado, pero ya no tiene arreglo.

—Perdona —le digo—. Veintidós días sin que pase nada le ponen a uno nervioso.

Mariano se echa al cuerpo el resto de su copa y recoge el encendedor y el tabaco. Me mira fijamente:

—No; no es eso. Es que tú ya te estás volviendo cazador. Se te ponen los dientes largos como a un perro por un rastro. Quieres agarrarlo tú. Como sea, por encima de todo.

¿Pues no lo dice como censurándome? Le aguanto la mirada.

—Ese es nuestro oficio, me parece. ¿O no?

—Puede.

No está seguro, claro. No me extraña. Entre nosotros tiene fama de eso, el pobre Mariano: de no saber atrapar sino a los que se le vienen a las manos. Se metió a policía como podía haberse metido a funcionario de cualquier ventanilla.

Se está abrochando ya la gabardina.

—Bueno, que haya suerte —se despide. Y concluye burlón con el estribillo del jefe—. ¡Piensa, muchacho! ¡Piensa como ellos!

Zigzaguea entre las mesas del bar para salir. Es un desgraciado; nunca llegará a nada. Nunca servirá más que para romper suela por las calles. ¡Pues claro que sí, que hay que ser cazador como el otro, como ellos! Tiene razón el jefe. Hay que morder con los mismos colmillos.

Por eso me encaro con la casa como hay que mirarla. Como el cazador tenso ante la boca de un cubil. La casa vulgar de un solo piso, al otro lado de la ramplona glorieta. Hace esquina y las dos tiendas de la planta baja me resultaron graciosas cuando las vi por primera vez. En la fachada hay una tintorería y encima se lee: *Dry cleaning*. A la vuelta, el rótulo de la otra puerta resulta inesperado: *Casquería*. Sí, eso es lo que dice. La gracia está, sobre todo, en que las dos son del mismo dueño. Hasta se nota que comunican. ¡Vaya mezcla!

Ya está un tío dándole al jueguecito. Miro hacia el interior de este bar suburbano, cochambroso y frío. Tres clientes con aire de habituales. Uno de ellos, casi un crío, ha echado su peseta a la máquina y está jugando con la bolita. Oigo los timbres eléctricos cuando la bola marca puntos. Ya me ha fastidiado el fulano. ¡Con lo que me gusta darle a la sacaperras y que ahora juegue otro mientras yo he de vigilar la maldita casa!

Me la sé de memoria. Sé muy bien lo que dice la placa junto a la puerta. «Javier Guzmán. Medicina general. Consulta de 3 a 5.» El horario está sobre un papel pegado en la placa, porque es distinto del que grabaron en ella cuando la encargaron, hace un montón de años. Como que era del padre, también médico y también Javier. A este otro Guzmán, el hijo, no le ha sobrado todavía dinero para el pobre lujo de una placa nueva.

Lo sé. Lo sabemos todo. Lo único que falta es demostrar que asesinó a la vieja. Estamos convencidos. ¿Quién tuvo mejor ocasión para sustituir la inyección corriente por la mortífera? ¿Quién va a casarse con la sobrinita y heredera? Pero el jefe no está seguro; nunca se precipita. Tiene una paciencia china, como él dice. Insiste en que Guzmán no piensa como hay que pensar para montar esa faena. Y añade que otras personas tuvieron también ocasión de hacerlo.

Eso, desde luego, es cierto. La misma enfermera, o el marquesito sobrino, o vaya usted a saber. La vieja tenía tantos asuntos económicos, que aún pudiera surgir algún otro interesado en su muerte. Económicos y de los otros; porque si la vieja llamaba a un médico joven y desconocido como Javier Guzmán —aunque digan que vale tanto y cuanto— era porque hace muchos años fue amante del padre, el médico viejo. El hijo no lo sabe; se figura que algún profesor le habrá recomendado a la condesa. Pero nosotros lo sabemos, como sabemos todo.

Menos eso precisamente: si la mató. «La cosa no encaja, muchachos —repite el jefe—. Vigilad a ver qué pasa.» Pero sólo pasa eso: Veintidós días. Y lo que te rondaré, porque el tozudo del mediquillo no da el menor resbalón. De su casa al hospital, del hospital a sus visitas cuando las hay, siempre por estos barrios, y vuelta a casa a comer. Por la tarde la consulta, si viene alguien, y después al Seguro. Pero...

—¿Una copita, don Abilio?

Sí, me llamo Abilio. Soy hijo de pobre; no soy un José Carlos ni nada de eso. ¡Ya se podía ahorrar el «don Abilio» este fulano! Pero se pone fino porque me tiene miedo. Como todo el mundo, cuando averigua lo que soy. Le noto el miedo en la mirada huidiza, en la inclinación obsequiosa, en la sonrisa falsa. Dan ganas de atizarle una buena patada en el trasero.

—Bueno. Una copita.

Cuando ingresé, hace cuatro años, me jeringaba que me tuvieran miedo. Porque me lo tenían, incluso la gente empingorotada. En cuanto me presentaba oficialmente a alguien, el tipo se ponía en guardia. Yo no salía de mi asombro. ¿Cómo no se alegran de verme? ¿No soy la ley y el orden, protectores de los buenos ciudadanos? Pues sí señor, lo soy; pero asusto a los buenos ciudadanos. ¡No te fastidia, que se pasen la vida poniendo por las nubes a la ley y la justicia, para luego dar de lado a quienes las guardan! Con el juez, todavía transigen. El juez no se roza con la canalla, sólo la ve al otro lado de la mesa, sólo toca códigos y papeles. Pero al policía ya se le esquiva. Al de prisiones, ni verlo. Y así, hasta el verdugo, ese pobre proscrito... Pero, bueno, ¿qué harían sin nosotros? ¿Como se quitarían de encima, con sus manos limpias, a los asesinos? No tiene arreglo: Todos nos miran de través aunque sonrían. Mi portera, el del bar, el del autobús cuando viene a cobrarme y le doy el placazo... Todos tienen miedo. Por lo visto, eso de la ley y la justicia está muy bien, pero para los demás. Lejos de uno.

En cambio, mira por donde, el *Filones* aquel no me tuvo miedo, ni poco ni mucho. Nunca olvido al pobre carterista desarrapado, uno de mis primeros servicios.

—¿Miedo? —me contestó sonriendo amistosamente, pero de verdad—. ¿Por qué iba a tenerlo? En la cárcel descansaré unos días. El oficio, hijo, da cada vez menos. Ya se me van poniendo los dedos viejos. ¡Con las manos que yo he tenido!

—Entonces ¿por qué querías escurrirte?

—Hombre, don Abilio; todavía no pide uno limosna, me parece a mí.

Tenía razón; estaba en su papel. Como yo al atraparle. Para eso me pagan los de la ley y el orden. Cada cual en su papel... ¿Caramba? ¿Será eso? ¿Será que el papel del gordo este que me sirve el coñac con las uñas puercas es tenerme miedo? ¿Será que el buen ciudadano tiene un papel contrario al mío? ... ¡Qué absurdo! ¡Ni que yo estuviera del lado de los otros!

No; yo estoy aquí y el otro está enfrente, en su cubil. Seguro que está pensando en mí tanto como yo en él, aunque no me conozca. Si mató a la vieja —y claro que la mató— tratará de pensar como nosotros; igual que nosotros hemos de pensar como él. Sabrá que le vigilamos. Estará tras esos visillos arrugados, fumando nervioso en un sillón, cavila que te cavila. Estará preguntándose cómo soy, cómo me las arreglo para seguirle, cómo soporto la espera... ¡Si él supiera que lo que más me entretiene es ponerme en su lugar con la imaginación! Pues tiene razón el jefe y que se fastidie Mariano: es la única manera de cazarlos. Llegar a tener sus mismas reacciones, sus mismos reflejos, nos repite siempre. Ponerse en la piel del tigre. Entonces es cuando se anticipa uno a sus movimientos y se les atrapa cuando menos lo esperan.

La prueba es que el jefe, sin salir apenas del despacho, les gana siempre por la mano. Pensando como ellos, nada más. Tiene gracia la cosa. Don Ricardo es un padre modelo, sin otro vicio que leer libracos raros en cuanto le deja el servicio. Bueno, pues sin embargo consigue reaccionar como el chantajista, el sádico y el estafador. Es como si tuviera el cerebro fuera del Código penal y las manos y los pies dentro.

Al principio me apasionaba don Ricardo; me parecía un modelo. Él me apreciaba y me daba confianzas. Un día en que estábamos de guardia y me repetía su estribillo, le dije que era difícil pensar

como ellos cuando no se ha empezado desde niño.
Don Ricardo sonrió:

—El oficio te modela, muchacho. Las cosas que tú haces te hacen a ti. La mano que usa pistola se adapta a la culata, el pie que calza bota se endurece, la voz que manda deja de dialogar. Siempre. Por fuerza.

—Pero ¡si somos lo contrario!... Nosotros, la ley; ellos, el crimen.

Entonces —lo recuerdo muy bien— se puso algo filosófico. Los libros esos que lee, claro.

—Por eso. Lo contrario se vuelve lo mismo. El psiquiatra tiene algo de loco y el loco de genio. El más alto rey es un esclavo y el perfecto mendigo es un rey. Los amantes se muerden y los enemigos... Los enemigos, cuanto más encarnizados, más se compenetran, más se imitan y se apoyan. No hay herejes si no hay creyentes, que se hacen aún más creyentes gracias al hereje.

Cuando dice esas cosas no sabe uno qué responder. Yo le solté lo primero que me salió, sin reflexionar:

—Total, que si usted se echara al delito, don Ricardo, resultaría un maestro. ¿No se le ha ocurrido nunca, con lo mal que nos pagan?

Se puso en guardia en el acto, como cuando huele que una noticia es decisiva. Se lo noté por dentro, aunque no se le viera. Sentí haberlo dicho, pero, después de todo, no era para tanto.

—Cuidado, muchacho —dijo lentamente, mirándome hasta el fondo—. Cazar con los mismos colmillos, bien. Pero si cruzas la raya nunca dormirás tranquilo.

Desde entonces, se me desplomó don Ricardo. Total, nada. Sus famosas cacerías son de sillón, como las de los aficionados a esas novelas policíacas tan alambicadas. Puro cerebro, como los que se imaginan fantasías con mujeres. Ahora, de sentir el corazón en la boca ante el peligro súbito o la suerte imprevista, de eso nada, jefe. Y además, ¿quién le ha contado que ellos no duermen tranquilos? Los hay que no, claro; y esos son los tontos que acaban cayendo. Pero hay gente de fibra que...

Me sobresalta el teléfono, junto a la puerta maloliente del lavabo. ¡A ver si es un aviso! A veces me llama el compañero que le interviene el teléfono al médico, si le ha oído algo de lo que piensa hacer. En las películas se ven instalaciones magnetofónicas para esos casos, pero aquí tenemos uno a la escucha, y gracias. Aquí todo se hace a golpe de calcetín.

No es para mí. Me vuelvo hacia la casa. Releo lo del *Dry cleaning* y *Casquería*. ¡Vaya humor, dedicarse a las dos cosas! Aunque, bien mirado, tampoco son tan diferentes. La camisa se pone sobre las tripas; no había caído yo en eso. Bajo las pecheras más almidonadas hay también sangre, bandullo, redaños. Todos tenemos esas cosas. Como aquella señorita que apareció degollada en casa de madame Felisa. ¿Quién hubiera pensado que con tanta buena familia y tanta exquisitez no podría aguantarse las ganas de marineros, de malos tratos y de...?

¡Uy! ¡Vaya sorpresa! ¿El marquesito a la vista?... No; el coche ha pasado de largo. Me había dado un vuelco el corazón... Se me hacen los dedos huéspedes... ¡Cuidado; pues sí que era! Ha rodeado la manzana y vuelve por este lado. Aparca, viene...

Serenidad, Abilio, que llegó el momento. ¿No declararon el médico y éste que no se conocían o, si acaso, que se habrían visto alguna vez en casa de la vieja? Pues entonces, ¿qué hace aquí?

Ahora entra. No le mires; estará nervioso. Se acerca al mostrador, pide algo. Me mira sin recelo. No es extraño: todos los compañeros dicen que leo el periódico como si leyera el periódico... Calma, Abilio. Sangre fría.

No lo puedo remediar. Cuando los asuntos se ponen al rojo me vuelvo otro. Pero cuando me levanto, consigo parecer tranquilo. Camino del teléfono le echo una mirada. Es el marquesito, no hay duda. Ha pedido café y copa a estas horas; por lo visto necesita darse ánimos. Se habrán citado por teléfono desde el hospital o algo así, porque el compañero a la escucha no se ha enterado.

Llamo a nuestro número y, según lo convenido, le digo a «Lolita» que la espero cuanto antes en el bar. Así sabe el jefe que se anima la cosa. No tardarán en llegar.

Vuelvo a mi mesa y, de repente, me asalta la inquietud. Esto no encaja. Es una locura citar a éste en la casa sabiendo que la vigilamos. Yo no lo hubiera hecho nunca y, puesto que el médico no es tonto, ha de pensar como yo. Luego tiene algún plan, y si no se me ocurre a mí también —ese mismo plan precisamente—, se me escapará la pieza.

¡Cuidado, Abilio! Estás tan obsesionado que no has visto salir al marquesito. Cruza la calle con aire inocente; demasiado inocente para serlo de verdad. Mira un momento la placa y entra en el portal. Ya se ha colado en la ratonera; nada más sencillo.

Eso es lo grave: demasiado sencillo. Tan estúpida cita no tiene explicación, luego necesito encontrársela. ¿Chantaje al médico, quizá, si este otro sabe algo? Bueno, ya lo veremos. Lo que ahora me atosiga es Guzmán, el listo. Veintidós días cavilando detrás de los visillos y jugándose la cabeza en el asunto le han inspirado por fuerza alguna idea. ¿Qué carta va a sacarse de la manga?

Está bien claro: me prepara una gorda. Voy a caer en la trampa si me descuido. ¡Lo que se reiría Mariano!... ¿Dónde diablos me he dejado el pañuelo? ¿Pues no he empezado a sudar de repente?...

—¡Otra copa! —grito.

Menos mal que llegarán pronto. Pronto, sí; pero

¿a tiempo? ¿Y si mientras tanto me la juega? ¿Y si por esperar aquí...?

Me decido: Hay que adelantársele. No dirá el jefe que no había motivo, con esa imprevista reunión de dos compadres que declararon no conocerse. No puedo quedarme quieto. Tienen un coche y yo no; ni sombra de taxi en esta barriada. ¡A por ellos!

Observo con cuidado las ventanas mientras cruzo, pero no se mueve ni una sombra. Cada vez estoy más furioso contra el doctorcillo ese mientras me cuelo en el portal y subo a saltos la escalera. Por si acaso, empuño la pistola dentro del bolsillo de la gabardina.

En el piso hay otra placa. Contengo el aliento; cuesta más esperar ahora unos segundos que los veintidós días. Me gustaría echar la puerta abajo, pero aprieto el timbre y lo oigo sonar dentro. No resistiría un encontronazo. Es una puerta endeble, como todo en este miserable barrio, una puerta de tiritaña, que caería al primer empujón. Ya no hace falta. Se abre.

Él. Ya me lo esperaba porque a estas horas no está la enfermera, la cojita. ¡Otra vez me transformo, al ver la pieza a tiro! El muy cínico no se inmuta. Sonríe, como si me estuviese aguardando, y me hace pasar sin preguntarme nada. ¡Pues si se figura que soy un cliente se va a llevar el gran chasco!

Pero no se lo lleva, ¡maldita sea! Sabe muy bien quien soy, ¡y no me tiene miedo! Esa prueba me convence de que es de los otros. Ahora estoy seguro de que hay trampa. No sé cuál ni cuándo, pero he de pararle en seco al primer gesto.

Sabe quien soy, claro. Por eso no me pasa a la consulta sino a un cuartucho de estar, lleno de libros, donde veo sentado al marquesito. ¡Ése sí que se lleva el gran susto al verme! Casi salta de la silla, más blanco que la pared, con esa mirada de conejo en el cepo que conozco muy bien.

Se me contrae ya la mano sobre la culata de la pistola, pero logro dominarme. Bueno, al menos el marquesito no estaba en el ajo. El tramposo es el otro, así es que no le pierdo de vista. De esta ratonera no va a salir nadie hasta que no vengan a sacarnos a todos. Me invita a sentarme, pero yo no pico: se pierden con eso demasiadas facultades. Él se sienta, y eso salgo ganando, pero mo me fío. Cuanto más tranquilo se muestre, más peligroso.

Empieza a hablar del tratamiento de la vieja, de las diferentes clases de inyecciones... Tengo buen cuidado de no atenderle, pues lo que quiere es distraerme. Sigo alerta, con la mano en tensión. Me repito sin cesar que en cuanto se mueva lo paro en seco.

Miro de reojo al marquesito. Está lívido y temblón. No hay peligro por ese lado. El peligro está enfrente. ¡Y detrás, maldita sea! ¿Pues no he sido tan imbécil como para quedarme de espalda a la puerta? Consigo echarme a un lado con disimulo y sin perderle de vista.

Errores como ése son los fatales. No me distraeré otra vez. Sonríe más, como si se hubiera dado cuenta. Sonríe como triunfante. ¡Sí, que te voy a dejar el triunfo, después de veintidós días de llevarme a rastras por las calles y de veintidós madrugadas en el condenado bar, oliendo a serrín y a retrete! Ni lo sueñes. Sigue hablando, no me importa; pero como muevas un dedo... No te valdrán tus mañas. Fíjate si estoy seguro que, ahora, hasta escucho lo que dices. ¡Mira si estaré sereno!

—Sí —repite—. Yo sabía que sospechaban de mí y yo conocía al culpable, pero no tenía pruebas todavía. Ahí está —exclama, poniéndose en pie y señalando al otro—, cayó en la trampa: él la...

Pero no continúa. En ese mismo instante el marquesito chilla, veo al médico levantarse de golpe, oigo decir «trampa» y estalla el disparo.

Dentro del mismo instante el médico me mira con indecible asombro, tuerce la boca, inicia no sé qué gesto con los brazos y se desploma. Entonces es cuando, por el súbito y excitante olor, me entero de que he disparado. Mejor dicho; no yo, sino mi mano. Simple reflejo al levantarse el médico, mientras el grito del otro me aturdía.

Ese grito del otro. ¡Me llena un coraje al pensarlo! Empiezo a escupirle insultos, pero, mientras los oye, veo colorearse de nuevo sus mejillas y calmarse el temblor de su mano. Sorprendido, me callo. ¿Pues no se le ha pasado el miedo?

¡Hasta sonríe! Y el muy cerdo se lleva la mano al bolsillo interior de la americana. Se le ha ocurrido una idea y yo sé cuál es; yo estoy pensando como él. Resulta que ahora su acusador está muerto, que sólo yo conozco la verdad y que yo seré fácil de hacer callar. Claro, yo no soy más que un pobre hombre. Por eso se lleva la mano a la cartera. Y si no me callo entrará en juego su honorable familia, el mejor abogado, la influencia, la Prensa comprensiva... Me explico que se sienta ya casi en salvo.

En cambio, él no comprende. Ahora ya no es mi mano. Soy yo quien dispara con fruición, sonriendo más que él. Le doy el gusto al dedo apretando el gatillo. Lentamente, como para hacer una buena fotografía. No se me escapa esa pieza, mi legítima presa.

Empieza a oírse, lejos, la sirena de nuestro coche. ¿Pues no me alarmo un instante como si yo fuera uno de los otros? ¿Qué harían en mi caso los otros? Gracias por su receta, jefe: ya estoy en la piel del tigre.

Así es que cacheo al marquesito y compruebo mi intuición: aunque era un blando, había venido preparado. Le saco del bolsillo, cuidadosamente envuelto en mi pañuelo, un revólver de señorita. Le aprieto sus dedos en torno a la culata, para dejar las huellas adecuadas. Estoy trabajando rápido y bien. Como ellos, jefe, ¡ya lo creo! Estoy preparando una escena que hablará por sí sola. Uno de los dos cómplices sacó el revólver y yo tuve que defenderme. No habrá ni que explicarlo.

Ya suben la escalera. Contemplo los dos cuerpos. Están casi juntos, como buenos enemigos. ¡Qué tranquilo se queda todo después de haber matado! No siento nada especial. Sólo se me ocurre que he agujereado mi gabardina.

¿Y por qué voy a sentirlo? El primero fue un error, de acuerdo; pero como los de la propia justicia, a cuyo amparo duermen tan orondos los buenos ciudadanos. En cambio, el otro no se le ha escapado a la justicia, que me manda cazarlos, aunque sea muertos.

Entran, comprenden y me felicitan. Es natural. Este cuarto está lleno de justicia: Yo.

1964

A Erika

Ayer, en el vacío caserón del pueblo, rodeado todavía de demasiados recuerdos que dispersaban la añoranza, no me sentía tan triste. Pero hoy, tras la espera a media noche en la estación solitaria, la amanecida lívida en el tren y el retorno al trabajo cotidiano —este pupitre oficinesco donde soy galeote—, el recuerdo de nuestra vida juntos inunda mi corazón de lágrimas. No he tenido más remedio que alinear unos cuantos expedientes como barrera disimuladora, para desahogarme ahora mismo en esta carta.

¡Ah, qué alegre mañana la que te trajo a mi lado! Hacía tiempo que yo te admiraba: mis ojos se iban hacia ti durante el paseo habitual de la gente joven por la calle Priora. Tú lo sabías, claro, y no te hurtabas a mis miradas. ¡Eras tan hermosa, tan diferente! Tu mismo nombre prometía otra vida distinta a la nuestra: Erika. Era nombre de opereta vienesa, alegre y atrevido. Yo me asombraba de que el destino te hubiera traído desde las orillas del Elba a nuestro provinciano mundo. Por eso te quería más, pero también por eso desesperaba de conseguirte. Hasta aquel golpe de suerte, quizás el único de mi vida: la lotería... ¡Sí, qué alegre mañana! Ahora me parece sentir tu roce contra mi cuerpo, mientras te llevaba cogida de mi mano. Cuando te abrí la puerta de mi casa y te presenté a mi madre y te conduje a mi cuarto, el júbilo me anudaba la garganta. Me sentía contigo capaz de todo: de escribir la obra maestra, de deslumbrar al mundo.

Fue duradero nuestro amor, largo y hermoso. Los mejores momentos de mi vida los he pasado contigo. Eras paciente, dulce y animosa. Respondías a la caricia de mi mano como una yegua joven y atrevida. Galopabas, cuando yo me vertía en ti. Estimulada por mis arrebatos, me dabas precisamente las palabras que ansiaba mi imaginación. Nunca te me negaste, siempre estabas dispuesta. Siempre me esperabas a la vuelta de mis ausencias, fiel y sin reproches. Y pasados los años, cuando yo ya había empezado a perder las ilusiones, resignándome a esta vida de empleado solitario, tú permanecías siempre dispuesta a empezar.

Ay, Erika, ¿cómo empezó el desmoronamiento? No me lo dijiste nunca, pero fueron tus celos. Jamás me perdonaste mi afecto por la cajita de cigarrillos *Senussi* que traje de mi único e inesperado viaje a tu país, a donde no pudiste acompañarme. ¿O fue mi amor por el espejo del tocador de mi madre? Pero debiste saber que yo me enamoro mucho de las cosas: son más fieles que los hombres; no necesito explicártelo, a ti precisamente. El caso es que empezaste a tartamudear, a trabucarte hasta que, un día, en mitad de una frase apasionada, te negaste a seguir. Me hirió una puñalada, me traspasó la soledad.

Te arreglaron, pero no volvió a ser lo mismo. Además, nos habíamos hecho viejos. En el taller de reparaciones te miraban burlonamente y, al fin, un obrero descarado decretó que ya no se fabricaban piezas para tu modelo y que más valía dejarte. Fue también por entonces cuando el sargento de la Guardia Civil, ante quien se pasaba la revista militar, me dijo que yo no tenía que volver más. Era nuestro final.

Me trasladaron y te dejé en casa. Aquí me entregaron una eléctrica, pero no es mía. No pulsa con mis dedos vivos, sino con su motor. Y ahora, tras esos dos días sumergido en el aire de mi vida pasada, te evoco enterrada en el caserón de mis padres, ese mausoleo en ruinas de nuestro amor, tumba de mis ilusiones. ¿Recuerdas cuando yo me inclinaba sobre ti apasionadamente, dándote los latidos de mi pecho y escuchando el golpeteo de los tuyos...? ¡Ay, Erika, Erika!, el tiempo, esa erosión implacable... ¿para eso nos nacen? ¿Por qué, Erika, por qué?

1982

Divino diván

¿Qué hace uno en Londres a las 3.17 horas de la tarde si un tremendo aguacero le impide salir de la estación del metro de Baker Street? Al enfrentarme con ese problema en octubre de 1971, yo adopté una decisión que, aun cuando su único fin era pasar un rato a cubierto, me llevó a descubrir la vocación de mi vida: la de divanólogo. Pues tengo el honor de ser, desde entonces, el creador de la DIVANOLOGÍA. Mío es el nombre mismo de la ciencia, mío el neologismo «adivanarse» y mío el lema: «Dime cómo te adivanas y te diré quién eres».

Mi iluminación se produjo al decidirme entre las dos únicas opciones de las cercanías: el *London Planetarium* y el Museo de figuras de cera de Madame Tussaud. Temiéndole a la tortícolis fatalmente engendrada por mirar hacia arriba durante una hora, me decidí por el Museo.

Comprendí mi error apenas me encontré solo en una penumbra poblada de fantasmales figuras emergiendo bajo focos ocultos. Silencio mohoso, olor a cirio, frío de catacumba. Un ambiente siniestro: como en tantas películas, de cualquier rincón

235

podía salir el asesino, sobre todo en la famosa Cámara de los Horrores con Ana Bolena degollada. Para colmo, no había donde sentarse y yo estaba rendido. Entre tanto muerto de pie eché de menos el aire libre y hasta la lluvia. Sí, me había equivocado.

¡Ah! pero gracias a aquel error emprendí mi camino de Damasco. Cuando, como decía, estaba yo a punto de irme, uno de aquellos muertos se movió. Era, claro, un vigilante (hoy pienso que fue un ángel esperándome) que me señaló la continuación del itinerario. Obediente a su providencial autoridad acabé llegando a un cubículo donde el doctor Sigmund Freud en persona tomaba notas junto a un diván con una bella joven; la famosa Fraulein Anna O., supongo. El vocablo despertó como un gong mi pensamiento: ¡un diván, un reposadero! Sin pensarlo más hinqué una rodilla en el borde del mueble, pasé la otra sobre el cuerpo yacente, levanté la primera y acabé tendiéndome entre la muchacha y la pared. En aquella penumbra la figura femenina me ocultaba y me dispuse a relajarme hasta el cierre.

Pero no pude. Quizás porque durante un momento tuve a la muchacha debajo y entre mis piernas, o por las deseables turgencias de su cerúleo busto iluminado, lo cierto es que deshonestos pensamientos me asaltaron. Una mano se me fue hacia su muslo para tocar tan sólo un armazón de alambre sosteniendo las faldas. Y en aquel preciso instante, como en la vía de Damasco, escuché una Voz. Susurrante, pero perfectamente audible:

—No se haga usted ilusiones; no hay nada que hacer. Esa niña es de una frigidez irremediable. No tiene ni sueños eróticos... El que sí los tiene es el médico; ¡vaya fantasías! Más obscenas que las de todos sus pacientes.

Me costaba trabajo admitirlo, pero quien me hablaba era el diván. Como si adivinase mis dudas continuó:

—Sí, soy yo. ¿Pensaba usted que los divanes no tenemos nuestro corazoncito?... Además, yo soy un diván culto, de buena familia. De la mejor caoba y engendrado por un continuador de Hepplewhite... ¡Lo que he gozado en mi vida, para acabar aburrido en este rincón!

Comprendí que quería desquitarse conmigo y le dejé hablar, animándole con preguntas de vez en cuando. Empezó su historia en 1866, cuando en el taller natal fue adquirido por la apetitosa heredera de un viejo armador de Liverpool que acababa de dejarla viuda, sumida en relativo dolor y en envidiable opulencia.

—Suyas fueron las primeras nalgas que oprimieron mis lomos y nunca las podré olvidar. Yo, claro, era todavía virgen, pero aquel dulce peso me despertó el deseo de la carne. Mi respaldo se enderezó de gozo y sentí temblar mis patas conmovidas por el excitante aroma de su sexo. Tenía más de especias que de marisco pues, como supe después, era de origen jamaicano y con algunas onzas de sangre africana. Me enamoré de ella y ella debió gustar de mí, pues pasaba largas horas sentada, suspirando a veces y restregando contra mi piel su ancho basamento esférico. También solía adivanarse a lo largo, deparándome así el inefable goce de sostener y tocar todo su cuerpo, elástico y rotundo a la vez.

»Con su temperamento no tardé en conocer el amor. Cierto domingo sacó ella del internado, para pasar el día, a un sobrino suyo de quince años, larguirucho, tímido y ojeroso. Le trajo a casa, le hizo sentarse junto a ella sobre mí y le propuso ir luego a la velada de una amiga suya que cantaba baladas gaélicas acompañada al arpa irlandesa por un bardo melenudo. El entusiasmo del muchacho no fue indescriptible; mucho menos ardiente, desde luego, que el suscitado por el turgente descote de la jamaicana, al que miraba y remiraba de reojo.

»La dama lo notó y fue como el disparo de salida en una carrera. La enjoyada mano femenina se posó en la entrepierna del joven, que se encogió intimidado. No así la jamaicana que, dado ya el primer paso, soltó los dos botones de la trampilla del pantalón, zambulló diestramente sus dedos entre espumas de lienzo y volvió a la superficie como un cormorán chino, apresando un pez asustado y flácido, pero de esperanzadora dimensión. "Por favor, Mrs. Jones", murmuró el joven. La prudente señora atajó la insincera protesta cerrando los labios juveniles con los suyos carnudos y sobre mis resortes comenzó a repercutir el vaivén con que la dama infundía vida al pececillo.

»El resultado hubo de ser satisfactorio porque escuché un femenino y entusiasmado —a la vez que piadoso— "Oh, Dios mío". Y en el acto, impulsada por una abstinencia de dos meses o temerosa de nerviosos desfallecimientos primerizos, se alzó del asiento, levantó con una mano toda su faldamenta mientras estimulaba a su presa con la otra y por un momento deslumbró al joven —¡ay, y a mí!— con el esplendor de su vientre moreno y su crespo bosquecillo negro. Fue, por desgracia, una visión fugaz. Ella clavó una y otra rodilla sobre mí, a ambos lados del joven, apuntó certeramente y se dejó caer. El instrumento entró en su vaina como la barquilla del pescador acaba metida en el puerto por un gran golpe de ola. O más bien como una lanzadera, que la dama se encargó de hacer ir y venir a ritmo creciente, entre jadeos y suspiros. "Oh, oh, la Tierra tiembla", exclamó ella en un cierto momento. Pero no: era yo, moviéndome también a compás de la pareja hasta que, en el momento culminante, sentí con ellos desfallecer todos mis resortes. ¡Inolvidables recuerdos!

La voz del diván se truncó, deshecha en melancolía. Para reanimarle se me ocurrió exclamar: «¡Qué vida tan apasionante puede ser la de un canapé!».

Nunca lo hubiera dicho. El diván dio un brinco, crujieron sus maderas ofendidas y creí que nos volcaba, a la cerúlea y a mí, a los pies de Freud.

—¡Un canapé! ¡Compararme con eso que ha dado nombre a unos bocadillos! Puesto a despreciarme, igual podía llamarme una otomana, un sofá, una dormilona, un banco, una litera...

Tras mis años de estudio, ya tengo elaborada una tipología lo bastante precisa como para darle la razón. Por ejemplo, el hecho de que los divanes tengan respaldo facilitó sin duda la galopada de la jamaicana sobre los muslos del muchacho, al permitirle asirse con las manos, cosa imposible en una otomana o en un canapé propiamente dichos. Cierto que el sofá también tiene respaldo pero, como se verá, nunca alcanzó igual rango que el diván, como él mismo continuó explicándome, tras un breve y ofendido silencio.

—¿Ignora usted que mi nombre es hasta un vocablo literario? Goethe escribió un diwan como tantos poetas árabes y, sobre todo, como el sublime místico, el persa Rumí, con su *Diwani Shamsi Tabriz*. Mira que confundirme con un canapé, cuya única ventaja es el apoyo de la cabecera que permite a las damas libidinosas presenciar mejor la entrada y salida del instrumento de su goce...

No pude por menos de recordar la coplilla bajoaragonesa:

«Sácala un poquico
que la quiero ver,
sácala un poquico, sácala un poquico,
¡vuélvela a meter!».

Pero ya el diván estaba explicándome sus diferencias con la cama, otro mueble con el que no condescendía a compararse.

—La cama tiene sus méritos, sí, pero es de otro planeta. La cama es convencional, definitiva y solemne; el diván es libre, transitorio y juguetón. El

239

diván es la vida; la cama es la costumbre. En la cama se nace y se fallece; en el diván se engendra y, todo lo más, se desfallece.

»Reconozco que a veces se intercambian los papeles. Hay quienes gozan más encornando a su cónyuge sobre el tálamo oficial; como hay también legalísimos matrimonios aficionados a gozar de lo prohibido voluptuoseando en el diván ajeno. Y hasta hay quien ha muerto sobre nosotros derribado por la batalla erótica; incluso a mí me ha sucedido. Ya me había vendido el sobrino y heredero de Mrs. Jones —sin respetar sentimentales recuerdos— a un tal lord Caramel o, mejor dicho, a su amiguita fija del *London Follies,* allá por el año noventa.

»¡Entonces corrí mi dorada juventud! Nunca viví tan íntimamente con una mujer. La admiraba desnuda todas las noches porque Jenny me puso en su alcoba para que el lord pudiera verla en la cama solazándose con algún amigo más joven. ¡Y cuantísimas veces me entregó totalmente su desnudo adivanándose sobre mi lomo, piel contra piel! ¡Cómo me adhería yo a sus curvas con todos mis resortes!... Pero, a lo que iba, una tarde el lord tenía sentada a Jenny sobre sus huesudas rodillas, confiándome el peso de ambos, cuando de repente, en plena caricia a un muslo femenino, perdió el conocimiento. La muchacha, asustada por el aristocrático soponcio, intentó practicar una urgente respiración boca a boca; pero, como había caído al suelo al soltarla el caballero, vino a aplicar sus labios mucho más abajo, en un hito de la noble fisiología que ella había estimulado previamente con otras intenciones. La celosa avidez con que Jenny aplicó su ventosa facial comenzó reanimando al caballero, que abrió los ojos un momento, pero volvió a cerrarlos definitivamente como si le hubiesen dado la puntilla, tras proferir un débil "Dios salve a la Reina"... Excepciones como ésa, sin embargo, confirman la regla de que la cama es el sitio para morir, mientras el diván es para vivir aventureramente.

»Sí, el diván es el campo ideal para los ataques por sorpresa contra las murallas del pudor femenino. Es fácil para una señora honesta persuadirse de que si un caballero la tienta, acosa y derriba de pronto sobre un diván es porque sus femeninos encantos le han soliviantado hasta un extremo irreprimible del que ella acabará beneficiándose. Y aun cuando pudiera haber sospechado las intenciones masculinas, la presencia de un diván en un salón no tiene por qué alarmarla y le resulta posible dejarse conducir hasta él con razonable candor. En cambio, no cabe fingir ignorancia cuando la dama es conducida hasta una alcoba con cama, lugar del todo impropio para contemplar las estampas japonesas que el caballero había prometido mostrarle.

Al llegar a ese punto no pude por menos de advertir a mi diván que le encontraba bastante anticuado. Hoy no se alarma ninguna mujer ante una cama, ni se requieren subterfugios japoneses para inducirla a un entretenimiento mutuamente grato.

—Ya lo sé, ya lo sé, pero eso pasará. Los tontos de ahora no saben lo que se pierden, con levantarle al amor la pecaminosa prohibición. Han reducido el arte de Ovidio a una técnica gimnástica, al desempeño de una tarea, a probarse a sí mismos que son capaces de hacerlo. ¡Qué distinto era en mis tiempos victorianos! Engañar a un marido con riesgo era apasionante; el cambio de parejas actual es una mera comparación de epidermis, dimensiones o velocidades de reacción... Pero ya volverán a estar de moda las sanas costumbres, pues sin represión no hay transgresión placentera... Y si no vuelven, es que esta civilización de ustedes no tiene remedio.

»En cualquier caso en mis tiempos el diván era la cama no planeada, el campo de la pasión irreprimible. Por eso me adquirió a principios de siglo un joven dandy para su *garçonnière*, y gocé a las muchachas fáciles más bonitas de Londres y a damas encopetadas de facilidad menos notoria. Por cierto que empezó por tapizarme todo de seda color tórtola, no sólo para ponerme a tono, sino también porque la cualidad resbaladiza de la seda favorecía el logro de sus placeres predilectos... Sí, aun cuando mi joven amo era de gustos eclécticos, tenía debilidad por lo que los franceses llaman delicadamente *le petit trou* (la *via mínima* diríamos en latín), sobre todo cuando la dama no estaba acostumbrada. ¿Buscaba con ello humillar a su conquista, o coleccionar virginidades más abundantes, puesto que las naturales eran escasas? En todo caso aseguraba a sus amigos menos audaces que las sensaciones provocadas por la estrechez del conducto superaban en intensidad erótica a las de la *via máxima,* incluso para la receptora. Apoyaba su tesis en la afición que algunas mostraban luego por el método, pero yo la atribuyo a otras razones que tiempo después, sirviendo a un psicoanalista, oí formular a un pastor protestante confesando las mismas preferencias y justificándolas más o menos así: "La fornicación es cosa abominable a los ojos del Señor, pero la insaculación no lo es. La prueba está en que el Creador puso en el primer caso una barrera natural, prescindiendo de todo obstáculo en la segunda vía". Basta recordar el alto valor de la virginidad en la sociedad victoriana para comprender que las muchachas quisieran conservarla aun resignándose a excitaciones más artificiosas.

»Volviendo a mi joven dandy, va usted a comprender enseguida la utilidad de un tapizado resbaladizo. En efecto, en cuanto las muchachas estaban boca arriba, aguardando esperanzadas el ataque de frente, era fácil hacer resbalar su torso sobre mi seda en un giro de ciento ochenta grados, dejando expuesta una blanca retaguardia que, antes de que

242

pudiera reaccionar, había rendido su poterna... Claro que, a veces, lo resbaladizo tenía otras consecuencias. En una ocasión, cuando mi amo se disponía a operar de la manera más ortodoxa, la dama resbaló hacia el suelo de manera que el ariete fue a alojarse en su coralina boca. Pasado, sin embargo, el inmediato desconcierto, el joven se echó a reír (a ella le resultó impracticable) y ambos sacaron de la situación el mejor partido posible...

»Sí, el tapizado es muy importante para nosotros. Así, las telas de color liso son poco aconsejables con fines eróticos, porque a veces la impaciencia amorosa conduce a derrames prematuros, muy lamentables para nosotros y para los usuarios. En otra de mis casas ocurrió ese percance y la señora se levantó indignada: "¡Joven, cuando se ignora la práctica no se requiere de amores románticos a una dama respetable! ¡Jamás lo hubiera esperado de usted, de tan buena familia! ¡No es así su distinguido tío; todo un caballero! No le sorprenda que mi esposo le exija explicaciones. Ha arruinado usted un tapizado que habíamos mandado poner sólo hace dos meses al coste de tres libras y cinco chelines".

Si algún lector es también experto en divanología comprenderá que los recuerdos del diván constituyen verdaderas demostraciones de los principios teóricos fundamentales para esa ciencia. Así, en esas remembranzas se nos revela la importancia de las dimensiones estructurales del diván para la eficacia de su colaboración erótica.

Tomemos, para empezar, la altura del mueble, cuya determinación parecería obedecer simplemente a la comodidad del usuario sentado y no es así, pues para fines eróticos influyen otras variables. La baja altura del diván moderno, por ejemplo, produce exhibiciones de muslos y de su convergencia capaces de ilusionar al típico *voyeur*. Un ejemplo interesante aparece en otro de los recuerdos del diván:

—Una noche con ocasión de un baile de disfraces, escuché a dos caballeros que porfiaban sobre la insólita negrura de una entrepierna femenina, atisbada gracias a la escasa altura de un compañero mío. ¿Eran las bragas o bien el tapizado natural? Cuando más tarde se animó la fiesta y todos llegaron a la más íntima confianza, los caballeros encontraron allí adherido el bigote postizo de un invitado, bizarro mosquetero que lo había perdido en dulce diálogo con la dama y que lo recuperó agradecido como galante recuerdo.

Pero como un diván no debe malgastarse en vulgares exhibicionismos, la altura debe regirse no tanto por las piernas de los usuarios sino más bien por la posición de un posible operador arrodillado en el suelo, trátese de un galán rindiendo a su pareja un homenaje oral mucho más elocuente que las palabras, o de una dama tan amante de la precisión que, para exhalar el admirativo «¡oooh!» arrancado por la contemplación de un enhiesto instrumento, deseara formar con sus labios un círculo a la medida justa, aunque ello exija cierta dilatación y hasta algunos tanteos arriba y abajo.

Más arduos problemas plantea otra operación distinta —aludida también en párrafos anteriores— cuando el diván se usa como simple reclinatorio para el sujeto de cualquier sexo que ofrece su más esférica diana al dardo de su amado (y además armado) compañero. En efecto, en tales casos la altura modifica el ángulo formado por el eje principal del cilindro atacante y el del canal receptor, dando lugar a apreciaciones subjetivas muy diversas que, en el reciente I Congreso de Divanología —del que fui Presidente de Honor— se reflejaron en doctrinas muy opuestas. Para algunos (Neckermann y Constantini, *inter alia*) la altura ideal es la que pone en línea ambos ejes, permitiendo el máximo de comodidad para la insaculación. La doctrina «fuerte»

prefiere, en cambio, un cierto ángulo de ambos ejes
—manteniendo siempre, claro está, la confluencia
de ápice y apertura— porque, como expresaron certeramente los doctores Mingano y Porras, «el roce
aumenta el goce».

Aunque, en último término, la cuestión sólo puede
resolverse subjetivamente, cabe siempre un análisis
científico que me ha permitido descubrir la *ley del
minimax* o del ángulo máximo y mínimo acotadores
de la preferencia, atendiendo a diversas variables.
Su demostración requeriría un aparato matemático
que no puedo desplegar aquí.

Para concluir con la cuestión de la altura, el problema se complica a causa de la diversidad de suje-
tos y operaciones, que yo he analizado por el método
de la tabla *input-output* (y nunca mejor empleada la
expresión inglesa). La solución total sólo se logra
con los modernos divanes de altura variable, bien
mediante antiguos procedimientos como el de torni-
llo incorporado a la manera de las clásicas banque-
tas para pianistas, o bien con mecanismos automáti-
cos cual los usados en los coches Citroën para
distanciar de tierra el suelo de sus vehículos. Me es
grato anunciar que una firma americana, aplicando
mi *ley del minimax* con modernos microcomputado-
res, lanzará pronto al mercado un diván electrónico
que automáticamente ajustará la altura en cuanto
se tabulen en los mandos las variables de los partici-
pantes.

Junto a la altura, también interesa la anchura.
Las confidencias de mi diván lo ponen de relieve claramente.

—Mi padre y constructor sabía lo que se hacía.
Hay divanes tan estrechos que la dama se ve obliga-
da a apoyar un pie en el suelo y el otro en el respaldo, quedando medio torcida. Algunas, en esa situación, prefieren doblar las piernas sobre el cuerpo y
hasta he oído decir que así lo recomienda el *Ananga*

Ranga. ¡Vaya usted a saber! Pero, como usted mismo está notando, yo soy bastante ancho. El mínimo, por lo que yo he hablado entre mis compañeros, es el llamado «diván de cuerpo y medio»; es decir, el que permite tumbarse con un arcén a cada lado, como en las buenas carreteras, para aparcar los pies y recibir holgadamente entre los muslos al obrero del placer... ¡Ah! y no hablemos de nuestro esqueleto. Los divanes lo llevamos siempre recubierto por la tela o el cuero, pero hay sofás asesinos. Yo conocí a uno de estilo español con tan realzadas tallas heráldicas en la madera que ninguna señora se levantaba sin cardenales y hasta una se lesionó una vértebra sacra. De manera que los huesos debajo de la carne.

»Pero hay carnes y carnes. Yo empecé por resortes y kapok, que era la novedad de la época, y acabé en la gomaespuma. La gomaespuma es un asco, se lo digo yo; se queda uno sin sensibilidad. Un diván necesita resortes, para funcionar a compás de sus ocupantes. Claro que pueden ser resortes modernos, porque los muelles de mis tiempos gastaban la tapicería y de pronto saltaban fuera de la tela con su punta de acero, arañando y desgarrando partes muy delicadas. Lo mejor es combinar láminas metálicas con relleno blando. Y, desde luego, nada de esos colchones acuáticos que serán buenos para dormir pero no para el rebote erótico. Esos colchoncitos a las camas, a las camas.

Bastan las consideraciones anteriores —apenas una somera ojeada al dilatado horizonte de la divanología— para comprender el interés de nuestra ciencia desde los puntos de vista estructural y funcional y para demostrar que el diván como supremo instrumento erótico de la civilización, ofrece experiencias sobradas para dirimir, a base de su estudio científico, querellas tan empeñosas y persistentes como las mantenidas entre los seguidores, por ejemplo, de Lévi-Strauss y los de Edmund Leach.

Pero concluyamos con las aventuras de mi diván, que con los años fue declinando hacia empleos menos estimulantes.

—Durante la Gran Depresión me adquirió por desgracia la dueña de una casa de citas. Pasé malos ratos, la verdad; no porque me sorprendiese ya nada (las variantes de la técnica son escasas) sino porque todo solía ser sórdido. Viví casos pintorescos, eso sí, como por ejemplo el de aquel profesor y famoso médico de Harley Street que se llevaba al huerto a sus estudiantes, como impulsado por una violenta dedicación a la enseñanza. ¡Más de un alumno aprobó la asignatura exprimiendo no precisamente sus meninges! La dueña de la casa estaba intrigada por el contenido de la negra caja rectangular con que el doctor se presentaba siempre. Naturalmente, yo estaba en el secreto. El médico, por un temor al contagio muy lógico en su profesión, se quedaba inhibido del modo más deplorable si antes no reconocía los recintos que le atraían. Por eso, aun a costa de destrozar así mecánicamente alguna virginidad masculina, atacaba antes a su víctima con el rectoscopio contenido en la caja, si bien quizás la leccioncita práctica de exploración clínica compensaba el inconveniente. Yo no sé si fue alguno de esos alumnos el que, poco antes de la Guerra Mundial, se instaló como psicoanalista y me compró para su gabinete. Fue mi penúltimo empleo, porque a su muerte me trajeron aquí, con otros chismes suyos, para soportar a esa niña cerúlea.

»Mi estancia junto al psicoanalista tuvo el interés de que, después de haber vivido los rebotes de la carne, me harté de escuchar los desatinos del espíritu. Ya sé que los doctores dicen otra cosa pero yo estoy convencido de que los pacientes no acuden al psicoanalista impulsados por sueños raros o tendencias perturbadoras. Los lleva la moda, el aburrimiento o las ganas de presumir, porque la mayoría de ellos son ricos. Lo que pasa es que una vez en la consulta escuchan al diván, sin darse cuenta, los ecos de otras burradas que ya se han dicho y, sobre todo, les nacen ideas extrañas, provocadas por los comentarios del psicoanalista. ¡Pues hay que ver lo retorcida que es la mente de esos señores! Sí, cuanto más lo pienso, el que me compró a mí pasó antes por el rectoscopio. Ya puede usted hablarles de lo que quiera, sea de una ecuación diferencial, una mesa, la calcopirita o el color celeste: todo tiene un trasfondo sexual. Y, claro, les sugieren cada ideíta al paciente, que así acaban casi todos deseando acostarse con un guacamayo o pasarse al sexo opuesto... Lo que, por cierto, no estaría nada mal si fuera reversible: una época de esto y otra de lo otro. Mire: así se acababa el problema del feminismo y del machismo. Todo igual, pero cambiando a voluntad.

Podría continuar mucho tiempo reproduciendo otras curiosas confidencias. Pero no quisiera dejar una impresión parcial de la divanología, que abarca mucho más. Por ejemplo, la historia del artefacto, pues no hay ningún objeto tan revelador como el diván sobre la esencia de una cultura y, por eso, su evolución en el tiempo es aleccionadora. En esa historia existen lagunas, ciertamente, como nuestra ignorancia sobre los divanes usados por un pueblo de nombre tan erótico como el elamita; pero ello es consecuencia inevitable de que tales divanes estaban construidos de ladrillo, único material básico entonces usado. En cambio, hay abundancia de datos sobre los divanes islámicos. Citaré solamente uno de sus adictos más fervorosos: el poeta Abu Ismail ibn Mahmud el Bassorí, a quien se debe el aforismo «Mejor se está sentado que de pie, mejor acostado que sentado y mejor muerto que acostado». El poeta, fiel a sus principios, y para conservar eternamente su postura favorita, se suicidó en Baghdad en el año 1165 (560 de la Hégira) siendo sepultado sobre su diván predilecto. Otro enterramiento análogo permitió por cierto averiguar una particularidad interesante del faraón Tomtophis II, de la XII dinastía. Al penetrar en su tumba, afortunadamente intacta, los arqueólogos Lebrun y Kafidatis observaron sorprendidos que al diván-lecho enterrado con el difunto (entre sus demás pertenencias, según el uso egipcio) le faltaba una de las patas. Como el caso no podía explicarse por accidente ni profanación de la tumba, la única explicación posible es un gesto deliberado de los enterradores, para reflejar en el mueble las condiciones del difunto. Así es cómo la egiptología adquirió la interesante certeza de que el citado faraón era cojo.

Quisiera creer que la lectura de estas páginas ha despertado en algún lector la afición a la divanología. En este caso, si quiere saber más, gustoso quedo a su disposición. Es fácil encontrarme: basta con ir al Rastro madrileño y preguntar a los anticuarios. Todos me conocen y me distinguen con su amistad, permitiéndome investigar con cada diván que aparece en el mercado; lo estudio, mido y fotografío, lo catalogo y, después, con permiso del dueño, me paso noches a solas en la tienda, tendido en el diván y escuchando confidencias que anoto puntualmente en mis cuadernos de campo. ¡Qué placer! ¡Qué conocimiento directo de la grande y la pequeña historia! ¡Oh, la divanología, ciencia suprema del hombre!

Pregunten, pregunten a cualquier anticuario del Rastro: todos me designan como «el tío de los divanes», llevándose al mismo tiempo un dedo a la frente, en señal sin duda de saludo y de respeto.

1982

La Mortitecnia, industria de Occidente

*Peanut Beach (Florida), 22. De nuestro correspon-
sal.* — El III Congreso Nacional de los Mortitécnicos
Americanos, recién terminado en esta playa de
moda, ha sorprendido a este corresponsal como explosión de vitalidad encarnada en la técnica y la
economía norteamericanas, incluso en estos difíciles momentos de tensión internacional. Porque la
actividad de los Mortitécnicos (la palabra *mortician*
no puede traducirse por «funerario» ni por otra vul-
garidad semejante) es tan altamente representativa
que el corresponsal ha aprendido más durante el III
Congreso que en seis meses de residencia en Nueva
York.

¡Inolvidable, la gloriosa mañana inaugural! Banderas y pancartas con versículos bíblicos alegraban
el aire dorado de la *Seashore Promenade*. A las diez
en punto se instaló en el Paseo la banda de música,
con sus ciento doce ejecutantes y su órgano electrónico, iniciándose el desfile poco después. Abrían la
marcha cincuenta y dos lindas mayoretes, todas
ellas empleadas de empresas mortitécnicas y atavia-
das con sucinto traje de baño para demostrar que la

251

industria —como se ha dicho en el Congreso— también se interesa por los vivos. Las personalidades locales y la presidencia de la reunión seguían muy de cerca a las muchachas y, finalmente, todos los congresistas y ciudadanos cerraban la marcha en explosión de cívico entusiasmo. Sí, Peanut Beach puede estar orgullosa de aquella jornada.

Pero, naturalmente, no era un Congreso de festejos y diversiones sino de eficacia en la función mortitécnica. Por eso, inmediatamente después de la recepción en el Ayuntamiento, se iniciaron las sesiones de trabajo con un elocuente discurso del presidente de la Asociación, Mr. Elmer K. Chanaturian, de «Chanaturian & Smith, Inc.», los famosos mortitécnicos creadores de los envases finales en material plástico y las mortajas de nylon con cierre soldado, contra la humedad. Mr. Chanaturian, típico y dinámico americano de París (Kentucky), formuló varias afirmaciones dignas de resonar ampliamente en esa vieja Europa, tan llena de absurdos prejuicios sobre la mortitécnica. Supo demostrar que esta industria constituye, dentro de la civilización occidental, el máximo exponente del respeto a la dignidad del hombre; y añadió que rodear de eficiencia la retirada final del ciudadano es la más elevada manifestación de la vida colectiva. Definió la mortitecnia como la industria más desinteresada de todas, porque es la única que nunca cobra a sus verdaderos clientes, y subrayó el hecho de que la mortitécnica no tiene nada de... (pausa efectista para volver la vista hacia las mayoretes, en suculenta alineación al fondo del estrado)... lúgubre (risas generales). Debe hacer pensar, por el contrario, en que no por eso la vida deja de seguir marchando, como dijo Longfellow.

Después de su aplaudido discurso, Mr. Chanaturian expuso el programa del Congreso y designó al Jurado que, bajo su presidencia, elegiría la señorita más digna del título de «*Miss Mortician 1983*». Las cincuenta y dos muchachas, vestidas con el mismo traje del desfile, recorrieron varias veces una pasarela entre aplausos y admirativos silbidos. Al fin el codiciado galardón recayó en Miss Melpómene L. Schultz, de la acreditada casa «*The Golden Coffin*» de Berlín (Wisconsin). La elección fue acogida con indescriptible entusiasmo, porque Miss Melpómene, doctora en Letras Comerciales, es conocida en todo el país como redactora de la Correspondencia Sentimental de la citada empresa y varias universidades usan como texto una colección de sus cartas de consuelo, resolviendo con exquisito tacto las más delicadas incidencias planteadas por el negocio (es de antología, por ejemplo, su modelo de pésame del marido al amante al fallecer la esposa). Por añadidura, Miss Melpómene posee una estatura digna de acreditar los envases tamaño extra suministrados sin recargo por «*The Golden Coffin*», y una estatuaria silueta que, como dijo al presente corresponsal un entusiasmado congresista, haría estremecerse a los clientes pasivos de la casa incluso en sus confortables reposaderos permanentes.

Y a propósito de tales lugares, merece destacarse entre los actos del Congreso la visita colectiva a uno de los lugares más famosos y turísticos de Peanut Beach: el «reposorio» municipal. Y permítasenos ese otro neologismo, en vez de la vulgar expresión europea, para designar de manera genérica lo que concretamente, en el caso de Peanut Beach, lleva un nombre admirable, esculpido sobre el arco de entrada: «*The Permanent Club*». Debajo, esta simpática advertencia: «Antes de salir, dejen entrar».

Todos los detalles de ese «Club Permanente» hacen honor a la eficiente dirección de Mr. Clarence D. Martinelli, de London (Ohio), que es uno de los miembros más prominentes de la comunidad. Allí no faltan ni el bar, ni el *drug-store*, ni la alegre rotulación de las calles, incluyendo una *Broadway* y una *Fifth Avenue* de esquinas y semiesquinas muy codiciadas. Es cierto —no debe olvidarse que estamos en el Sur— que existe una reserva extramuros para los negros. Pero, en cambio, ninguna ostentación excesiva hiere los sentimientos democráticos, sin perjuicio de una variedad ornamental y de colorido, del más gracioso y distinguido efecto. Y, de noche, las inscripciones luminosas y los anuncios de las superficies disponibles convierten el lugar en un parque más de la bella ciudad, con una tranquilidad muy grata a las parejas de enamorados y paseantes románticos.

Otra visita muy instructiva fue la realizada a la Exposición Nacional para Clientes, en la que los mejores proyectistas de la industria han lanzado los modelos que más se llevarán durante la próxima temporada. Allí pudimos ver envases verdaderamente originales, como el «*Dear-Dear-Mother-in-Law*» (Querida, querida suegra), dotado de cierres de seguridad, para vínculos especiales de parentesco; y allí se exhibió también el modelo «*Edad Atómica*», con blindaje de cemento garantizado contra la bomba de hidrógeno. Pero el gran éxito lo obtuvo un envase con tapizado interior imitado de la famosa cama de la Pompadour conservada en el Metropolitan Museum y adornado con grabados franceses, copias auténticas de Boucher y Fragonard. En conjunto, la exposición fue un verdadero éxito al que —justo es reconocerlo— contribuyeron mucho las encantadoras señoritas que demostraban prácticamente, ante los clientes futuros, la comodidad y atractivos de los envases.

Sin embargo, la importancia del Congreso ha radicado sobre todo en sus deliberaciones. Llamó mucho la atención, por ejemplo, la ponencia de Mr. Horace J. Kratinides (de «Kratinides and Suvaroff», creadores de las esquelas combinadas con apuestas en las carreras) sobre la incidencia de la crisis mundial en la industria mortitécnica. Es cierto que la clientela no disminuye con la crisis, pero sí hay tendencia a la reducción del gasto *per cápita* peligrosa para los beneficios. El orador exhortó por eso a redoblar la inventiva con objeto de inducir a la clientela a no escatimar dispendios para honrar a sus desaparecidos. En tal sentido adujo varios ejemplos, muy sorprendentes para este corresponsal, destacando por lo imaginativo el procedimiento patentado como «Sonrisa garantizada», creado por el propio Kratinides para la madre millonaria de un joven corredor automovilista que murió de accidente en Indianápolis aunque, por fortuna, sin daños en el rostro. Gracias a ellos y a los nuevos productos que prolongan bastantes meses la flexibilidad muscular, la casa Kratinides instaló unos electrodos imperceptibles en los risorios de Santorini que, al oprimir un botón interruptor, permitían ver sonreír al difunto tras el cristal del envase. Cierto que la flexibilidad no dura siempre pero, como advirtió sagazmente el orador, las madres inconsolables mueren pronto.

No fue la crisis económica el único tema de interés general tratado en el Congreso. Los debates sobre la ayuda al Tercer Mundo emocionaron a este corresponsal por testimoniar el más vivo y sincero interés hacia la humanidad desheredada. «Ya que no podemos mejorar sus vidas —o, al menos, no es función nuestra— dignifiquemos sus muertes», fue la frase de un congresista que interpretó así el sentir general. Con ese espíritu surgieron múltiples iniciativas desde los sistemas de precios baratos para los casos debidos a inanición —que permiten reducir los envases— hasta la sugerencia de asignar Agregados Mortitécnicos a las Embajadas norteamericanas en las áreas conflictivas del planeta —Centroamérica, Próximo Oriente, Sudáfrica, etc.—, pasando por la petición unánime al Banco Mundial para enviar al Tercer Mundo misiones educativas que acaben con inhumaciones primitivas, impropias de la dignidad humana.

En ese sentido, la multinacional «*World Morticians Inc.*», atacó justificadamente la cremación en la India, extendida por desgracia a tantos millones de clientes potenciales, si bien la citada empresa estaba ya estudiando la venta de combustibles para piras y otros accesorios en envases modernos y lotes tipificados. Entre tanto, reconoció el Congreso, hay que atajar en Occidente la peligrosa actividad competitiva de los crematófilos que, esgrimiendo aparentes razones de higiene y comodidad, atentan sin decoro contra las más arraigadas normas sociales y propagan incansables sus desmoralizadoras ideas, sin respeto alguno hacia la actividad mortitécnica, única legítima dentro del sistema de vida occidental. Al debatirse la cuestión, este corresponsal quedó sorprendido por las altísimas dotes poéticas que, contra lo supuesto en Europa, poseen los americanos del Norte. En ningún país se elevaron jamás cantos tan arrebatados a la Madre Tierra como en este Congreso, destacando el ilustre mortitécnico y conocido poeta Mr. James N. Li-Yuang, de Roma (Carolina del Norte), que glosó simbólicamente el mito de Anteo, oponiendo la maternal acogida de la Tierra a la diabólica destrucción por el Fuego. Su poema dramático fue escenificado en el Teatro Municipal de la Ópera, representando el papel de «Tierra» Miss Melpómene L. Schultz, ya citada, y el de «Fuego», el propio autor de la obra. La acogida del cliente en el seno de la Tierra —apasionadamente escenificada en la representación teatral— quedó consagrada en los debates como la única digna de la cultura occidental, aprobándose cursar otra petición al gobierno para que la cremación se declare incursa en los preceptos de la *Illegal Activities Act,* de 1950, como delito de competencia desleal.

A fin de asegurar el éxito de la petición anterior y en beneficio de toda la clase mortitécnica, la famosa empresa «Lafouché & Cornejales», de Frankfort (Michigan), ofreció invitar a diez prominentes senadores a pasar unas vacaciones en el rancho anejo a la sucursal de la empresa en California. Para no ser menos, la ya citada firma «*The Golden Coffin*» se comprometió a enviar al mismo tiempo a su empleada Miss Schultz (Miss Mortitecnia 1983) que, como doctora en Letras Comerciales, desplegaría ante los senadores argumentos a los que ni siquiera tan venerables ancianos podrían permanecer insensibles. El entusiasmo del auditorio fue cortado por la intervención de Mrs. Antígona J. Larsson, de Toledo (Ohio), que con delicada comprensión femenina de los problemas, propuso que también deberían ser invitadas las Damas de Honor de Miss Mortitecnia, evitando así que Miss Melpómene se viera demasiado sobrecargada de senadores (risas), es decir —corrigió la oradora— de trabajo. El público estalló en aplausos, pues bastaba ver en el estrado a Miss Mortitecnia y a sus damas para comprender que la ley sería aprobada. Cierto que alguien empezó a decir tonterías sobre los procedimientos rigurosamente legales, pero fue pronto expulsado, como es natural, entre grandes repulsas. Noticias posteriores han confirmado que se trataba de un filocomunista.

Imposible sería aludir a todos los grandes y pequeños temas debatidos en el Congreso. Sólo con las aportaciones de la informática a la industria mortitécnica se podrían llenar muchas páginas: así, por ejemplo, el Control Nacional de Datos para comunicar cada año a sus abonados la fecha en que deben recordar a sus inolvidables seres amados. Pero, para concluir con uno muy de actualidad, este corresponsal debe recoger la postura mayoritariamente antiabortista del Congreso, toda vez que teólogos y sesudos científicos garantizan con su saber la temprana implantación del alma en el feto. Más aún, con lógica muy pragmática, el Congreso reclamó que el hecho de esa implantación se llevase a sus últimas consecuencias y que, al tratarse del fallecimiento de un ser humano con plenitud de derechos, en todo aborto —voluntario o no— se exigiese legalmente la intervención del mortitécnico a efectos de certificado de defunción, anotación en registro, ceremonial y hasta embalsamamiento, en su caso. De no hacerse así, los antiabortistas dejan las cosas a medias.

Como puede comprenderse, a una reunión tan trascendental para una industria de punta y con futuro asegurado como es la mortitécnica, asistieron numerosos observadores de todos los países adelantados. Su entusiasmo ante la eficacia del líder de Occidente fue tan unánime que el Congreso acordó convertirse para el año próximo en Asamblea Internacional y celebrar su primera reunión como tal en algún punto de la Costa Azul. El tema general elegido es el de «La Mortitecnia ante la próxima guerra nuclear». No se crea por eso que tan humanitarios industriales aman la guerra. Por el contrario, aunque sólo sea porque su actividad se ejerce mejor dentro de un orden y/porque en definitiva, aun en épocas tranquilas, los clientes acaban siempre llegando a sus puertas, los mortitécnicos son pacifistas. Ahora bien, si se produce desgraciadamente un *boom* debido a un conflicto, la industria sabrá cumplir con su deber.

Con ese espíritu asistirán todos el próximo año a la Asamblea Internacional y este corresponsal está convencido de que si el curso de la historia obligase a los pueblos a incrementar su productividad eliminatoria, los mortitécnicos contribuirán poderosamente a dulcificar sus consecuencias inspirándose en el radical humanismo propio de nuestra civilización occidental. Por eso se han manifestado ya en contra de los ingenios bélicos capaces de producir la pulverización o volatilización de los organismos vivientes. Todo resto humano es sagrado, porque si bien tenemos el deber de defender a toda costa nuestra civilización occidental, hasta el enemigo es nuestro prójimo, digno de todo respeto. Una vez muerto, ocioso es decirlo.

1983

Felisa

Le abro la puerta pero se queda vacilando en el umbral. La noto asustada; más de lo que me había dado a entender su voz en el teléfono, horas antes, al pedirme esta entrevista. Clara tiene miedo y además —lo percibo en un instante— hay en sus ojos incrédulo asombro, desolada inseguridad.

La invito a entrar, cierro tras ella, la conduzco hacia mi estudio. Pasillo adelante trato de adivinar cuál será el problema urgente de mi mejor alumna en toda mi carrera docente: revelación de mi pasado seminario de psicología, discípulo ideal con el que sueña todo profesor para ayudarle y transmitirle su saber.

Se instala en el sofá, dejando en otra silla el amplio bolso que le sirve de cartera. Le ofrezco el mismo té ahumado que otras veces —por mí descubrió el fuerte saboreo del *Lapsang Suchong*— y, ante su silencio, para animarla a la confidencia, pregunto cómo ha empezado para ella el nuevo curso.

—Bien, pero...

Se ha erguido, se ha envarado, me mira obstinada. Ahora, con más luz que en la entrada, percibo que sus ojos han llorado. Se arranca:

—¡Qué más da! Voy a dejar la carrera.

¿Una desgracia con dificultades económicas en la familia? ¿Un fuerte disgusto sentimental? No, ese miedo tiene otra causa. Ha de ser muy grave la cosa, porque Clara es una muchacha razonable.

—¡Con lo bien que has empezado! Sería una locura.

Continúo porque ella se encoge de hombros, desentendiéndose.

—Es tu vocación, y sabes que vales. No sólo tu inteligencia, sino tu sensibilidad. ¿Has perdido de golpe tu ilusión por tener una consulta psiquiátrica, para ayudar a la gente?

—¿Ayudar? —exclama con amargura—. He perdido la esperanza.

—¡Si todavía no has empezado!

Me mira de frente. Su voz suena distinta, casi estrangulada. Habla desde su miedo, sea el que sea.

—Sí he comenzado... fracasando. Y estoy aterrada.

Me deja sin habla; no puedo comprender. Prosigue:

—¿Ha leído esa muerte en el periódico?

—¿El accidente de Riancho, el músico?

Lo digo porque lo ha destacado la prensa, pero me pregunto en qué puede afectarla.

—Nadie hubiera podido ayudarle, nadie. ¡Es tan increíble! Y yo, tonta de mí, me imaginé capaz de...

No puede continuar. Saca un pañuelo, se lo lleva a los ojos... Mi imaginación se dispara. ¿Cómo se conocieron el compositor famoso y la estudiante veinteañera? Si él tenía un problema, ¿cómo no acudió a un profesional acreditado? ¿Acaso estoy ante una desesperación amorosa? Me da una punzada el corazón, pero no lo parece. Además, como buen aficionado a la música —soy vocal de la Asociación de

Música de Cámara— he tratado algo a Ernesto Riancho y no le veo en el papel de seductor. Al contrario.

Más calmada, empieza a hablar. Le conoció hace unos meses cuando él fue al Colegio Mayor de Clara a dar una charla, con ilustraciones al piano de sus propias obras. Fue presentada a Riancho por la directora del Colegio como una de las mejores residentes y la sentaron a su lado durante la cena ofrecida al músico después de su actuación. Hablaron bastante, pues él se dirigía a la muchacha con frecuencia, interesándose por sus estudios de psiquiatría, por sus opiniones...

Mi asombro crece. Riancho era un hombre difícil, raro; incluso últimamente se decían de él cosas extrañas. Pero nadie sabía gran cosa de su vida, aparte las noticias de sus actividades: conciertos, estrenos en Tokio o en París últimamente, porque su música de vanguardia es más apreciada en el extranjero que en España...

... y me sentía halagada, claro. Además, su música, que yo no había oído nunca, me había sorprendido e interesado, aunque no la comprendiese bien.

¿Esa música? Es natural que a Clara se le escape. Para mi gusto tiene demasiadas pretensiones extramusicales, a lo Scriabin o Messiaen.

—... Al día siguiente me llamó por teléfono. Quería que yo le oyese como psiquiatra; sólo tenía esa intención, precisó. Proponía vernos, tomar café, almorzar, lo que yo quisiera. Me cogió de sorpresa; incluso temí haber estado demasiado presumida la víspera. Le aclaré que aún no he terminado la especialidad, que apenas empiezo a saber algo, pero insistió. Tenía la corazonada de que yo le comprendería... ¿Cómo negarme? Acepté, era estimulante. Nos encontramos al día siguiente, en la cafetería *Brasilia*. Por la mañana me había mandado unas flores que fueron el asombro del Colegio. ¡Quién me iba a decir lo que ha ocurrido después!

—¿Qué impresión te había dado? —atajo—. ¿Podrías clasificarle?

Hablo sonriendo, como si se tratara de una pregunta en clase.

—Por supuesto un leptosomático. Retraído, fuerte vida interior... Inseguro en general, pese a su voluntad creadora en el campo de la música. Pensé en lo que usted nos decía de las madres castradoras...

Ahora habla la excelente alumna, pero su rostro continúa crispado.

—Entre los de su gremio tenía pocas simpatías, aunque muchos le admirasen.

—¡Ah, no! Conmigo estuvo siempre encantador.

—Le gustabas, claro. ¿No percibiste el deslumbramiento del hombre que empieza a no ser joven frente a una muchacha tan atractiva?

Descartó la idea en el acto.

—¡No, no iba por ahí! Nunca fuimos más que amigos. Si acaso una relación casi profesional, pues me llamaba a veces, medio en broma, su doctora, aunque yo nunca alenté ese idea. Al contrario, le recomendé que le consultase a usted o a otro profesional. Se negaba; había ido ya a un psiquiatra y no se sintió comprendido. «No hablaba mi mismo idioma», comentó.

—Pero dime de una vez: ¿qué le ocurría?

El miedo se reaviva en sus ojos.

—Creí al principio que sería sencillo, que podría ayudarle, pero... Se presentaba como una psicosis y quise saber algo más antes de hablar con usted. ¿Por qué no lo hice antes, Dios mío? Aunque, frente a lo increíble, ¿quién puede hacer nada? ¡Ni usted ni nadie!

—Explícate. ¿En qué consistía... esa psicosis?

—Dicho en pocas palabras: cuando se miraba en el espejo creía ver a otra persona. Al Otro, como él decía... Verá, cuando él me conoció acababa de llegar del Festival de Lucerna. ¿Recuerda usted el éxito de su miniópera *Marat,* sobre el revolucionario francés? Yo atribuí su problema con el espejo a su agotamiento —de ello se quejaba— por sus esfuerzos para acabarla a tiempo y por los difíciles ensayos. Le recomendé por de pronto descansar, distanciarse un poco... Sí, ya sé que lo procedente es lo contrario: enfrentar al paciente con sus fantasmas; pero aquello no me parecía grave. ¡Cómo imaginar su espantoso final tras lo increíble!

No la comprendo, y menos recordando la razonable explicación del accidente leída esta mañana. Lo extraño es el estado emocional de Clara y espero impaciente a saber más, para poder explicarme ese miedo en sus ojos.

—Riancho tenía que viajar días después a Lisboa para una mesa redonda y decidió descansar, prolongando allí su estancia un par de semanas: le encantaba Portugal. Le sugerí que me escribiera contándome sus visiones porque le convendría verlas así concretadas. «Seguiré el tratamiento, doctora»... Bromeaba... ¡No se veía aún ante el misterio! Eso vino después, el agujero negro...

El llanto vuelve a estrangular su voz. Rebusca en su bolso y me tiende un sobre. Saco la carta y la examino. Letra blanda, irregular. Me sorprende, sobre todo, la firma, en descenso y con un marcado ángulo a la izquierda. El membrete es de un hotel de Sintra y pienso que le iba bien el decadente paisaje romántico. Leo:

«¿Cuándo empecé a notarlo?, me preguntó usted el primer día en *Brasilia.* Hace tres meses, en agosto; no recuerdo bien la fecha. En cambio conozco exactamente dónde ocurrió: ante el espejo de mi madre, que sigue en su alcoba, ahora la mía. Un espejo grande, isabelino, con un marco liso y ancho de espléndida caoba y una luna de gran calidad, muy luminosa. Nunca había notado nada en él pero aquella mañana, saliendo yo del baño con sólo el pantalón del pijama, tuve al pasar la sensación de que no me reflejaba a mí. Retrocedí asombrado y me detuve enfrente, contemplando un rato mi torso, mi cara, sin advertir nada. Recuerdo que gesticulé: el espejo repetía mis muecas fielmente... "He sufrido una alucinación", pensé.

»¡Pero no era eso! Volvió a sucederme lo mismo unos días después. Y se repitió, aunque no siempre que me miraba allí. Sí, volví a ver al Otro... ¿Cómo explicarlo? Como si mi rostro fuera una careta; como si detrás de la imagen hubiese alguien oculto cuyas verdaderas facciones deformaran ligeramente las mías..., sobre todo, ¡qué transformación de mi mirada! Creía ver ojos ajenos observándome por la pupila de los míos. Unos ojos a veces compasivos, como diciendo: "No sabes lo que te espera...". Otras veces acerados, casi amenazadores, como imanes, como trampas... ¡Imposible creer que ésa fuese mi mirada ante el cristal! Acabé sintiendo miedo a pasar ante el espejo y entonces fue cuando acudí al psiquiatra, que no comprendió nada... Ahora confío en usted, Clara, espero que una mujer, alguien más sensible, admita que no padezco alucinaciones, que de verdad veo al Otro, a quien sea... Porque es así, es verdad; sólo de pensarlo me recorre la espalda un escalofrío... Duermo mal, sueño... Anoche mismo me veía como en una playa de olas negras, y yo con un blanco sombrero de alas muy anchas y con una extraña sombrilla de encaje, también blanca... Otras noches sufro insomnio, y cavilo. ¿Qué me ocurre, qué está sucediendo, cuál es esa presencia extraña en el espejo? ¿Dónde está, desde dónde se asoma a esa puerta de cristal?

»Créame, querida doctora, hago esfuerzos para ser racional. Procuro convencerme de que en el espejo estoy viendo mis propios ojos, compasivos o malignos sin darme yo cuenta. Pero no me convenzo; creo más bien en el Otro. Porque tras los espejos viven otros, hay que admitirlo así. La prueba: si yo muevo la mano derecha, el Otro mueve la izquierda. No me diga que eso se explica por las leyes ópticas pues entonces ¿por qué no nos vemos también invertidos verticalmente con los pies arriba y la cabeza abajo?... Sí, veo al Otro, o, si acaso, a otro Yo que no conozco... Pero, ¿por qué se asoma a mí? ¿Por qué sólo en el espejo de mamá? ¿Recuerda usted que nos detuvimos ante aquella luna en el escaparate de una óptica y que no vimos sino mi exacto y tranquilo reflejo? Pues bien, lo mismo me ocurre con cualquier otro espejo. En cambio, en el mío (el de mi madre, mejor dicho, o de sus abuelos, porque viene de nuestra casona montañesa) veo al Otro... ¡Si no me cree usted no podrá ayudarme, no es ilusión! Cierto día incluso vi claramente cómo su mano derecha se resistía a hacer el movimiento de mi izquierda...

»¿Qué me pasa? ¿Qué he de hacer? Cavilo, me torturo. ¿Por qué no aparece siempre? ¿Acaso mi yo es a veces más fuerte e impide asomarse al otro? ¿Qué pretende ese Otro, qué quiere de mí? ¡Cómo me he analizado por dentro para ver si hice o tengo algo que le repugne y que él quiera cambiar! No descubro nada y eso me aterra más todavía.

»Después de hablar con usted —su comprensión fue seguramente el estímulo sugeridor— se me ha ocurrido la idea de que el Otro sea mi bisabuelo. Por favor, no sonría: desde mi infancia sorprendió a todo el mundo mi extremado parecido con mi bisabuelo Félix. Lo reconocen todos los que han visto su retrato, pintado por un buen discípulo de Madrazo. Sus rasgos serían idénticos a los míos si yo me dejase sus anchas patillas de marino mercante, y hasta el ligero rizado de mi pelo es como el suyo, visible porque su gorra de uniforme está en un velador al lado. Mi madre, que llegó a conocerle, insistía siempre en ese parecido. Y ahora caigo, ¡qué extraño!, en que mi abuela, hija del marino, que sabría mucho más de él, nunca me habló de su padre. ¡Todo es misterioso, todo es incomprensible! Pero ha de tener una explicación, o un sentido, o un motivo. Necesito que lo descubra, Clara; y confío en usted, aunque me haya advertido tantas veces de que aún no ha terminado sus estudios... No iré a un psiquiatra aunque se empeñe. No quiero palabrerías técnicas, sino comprensión, sensibilidad, comunicación humana y usted es admirable. Llamó mi atención aun antes de ser presentados: destacaba, con su sonrisa y su mirada, entre toda la gente que llenaba de ruido el salón...».

Paso por encima de la despedida preguntándome de qué naturaleza serían los sentimientos de Riancho. Devuelvo la carta y Clara continúa:

—Volvió a las dos semanas y me llamó. Entretanto yo me había preocupado en preguntar, a un estudiante de óptica, por qué los espejos no invierten de arriba a abajo nuestra imagen, siendo así que la invierten lateralmente. Me habló de simetrías en el espacio y me lo explicó incluso con unos dibujos de los rayos reflejados, distinguiéndolos de los refractados, por ejemplo, en una lente, donde la imagen no da la vuelta.

—Pues explícamelo a mí —sonreí—, porque yo no lo comprendo.

—Confieso que yo tampoco, pero retuve la teoría óptica y conseguí repetírsela a Riancho de manera que me pareció convincente, apoyándome en los dibujos y en la autoridad de un experto. Me escuchó muy atento, pero seguía viendo al Otro... Siempre en su espejo, nunca fuera de su casa. «Es como si ese cristal fuera una puerta, o la única ventana a la que él puede asomarse»... Oyéndole me di cuenta de que ya no le importaba tanto la existencia del Otro —para él no había duda— sino la razón de su preferencia precisamente por aquella puerta. «Cuando lo descubra —me dijo— lo comprenderé todo.» Y también percibí, al reanudar nuestros contactos, que Ernesto había vuelto de Portugal más tranquilo, sin la angustia que por instantes asomaba a sus ojos en nuestra primera entrevista... Al volver se mostraba sereno; a veces incluso indiferente, casi ausente, como si se me alejase de pronto en medio de las atenciones que me prodigaba: ¡era tan delicado, tan señor de otra época!

—¿Te pareció entonces que había mejorado?

Responde como la lúcida estudiante que fue en mi seminario, descubriendo la trampa oculta en la pregunta del profesor.

—Bien sabe usted que no —sonríe—. Al contrario; comprendí que su conflicto se convertía en obsesión. Una convicción falsa es peor que una duda. Su tranquilidad me sugería que ya aceptaba al Otro como un hecho real. Ya no se alarmaba ante lo extraordinario, sino que se instalaba en su delirio... ¡Y yo sin darle importancia, sin comprender hacia qué vacío se dirigía! Pero, ¿cómo comprenderlo si era, es, inconcebible?... Así y todo, viéndole tranquilo, intenté bromear cuando me dijo que en Portugal no había vuelto a ver al Otro. «¿Por qué no vende entonces su espejo o lo regala?», le sugerí.

No puedo evitar un respingo profesoral ante un consejo tan contraindicado.

—Ya sé —me adivina Clara— que era clínicamente un disparate, pero lo lancé para ver hasta dónde llegaba su obsesión. Por supuesto, reaccionó negativamente, con violencia... ¡Qué esclavo del espejo! «El espejo de mamá», lo llamaba. Sí, una víctima de la madre castradora: su trato ya me había revelado lo bastante como para estar segura de su problema infantil, una deficiente relación especular... En todo caso aquel espejo era más que un recuerdo, más que otra atadura a la madre. Para él era una puerta a otro mundo, un imán inescapable. Y, lejos de desprenderse de esa apertura, quería confirmarla, explorarla. Por eso se le había ocurrido, durante el viaje, asomarse a otros antiguos espejos de la familia. Habría alguno, pensaba, en su vieja casona familiar de la Liébana, que me describía con su gran escudo de piedra en la fachada y espléndidos castaños sombreándola. No había vuelto a vivir allí desde hacía mucho tiempo, pero había anunciado ya su próxima llegada al matrimonio de guardas que la cuidaban y que de vez en cuando le daban noticia de los prados o las vacas. «Ahora estará aquello muy hermoso. Me llevaré mis partituras en curso y a ver si el Otro me deja en paz», concluyó medio en broma al advertir mi expresión preocupada... Me prometió escribirme, puesto que no había teléfono, añadiendo: «La invitaría a venir unos días si aquello tuviera más comodidades, pero ni siquiera sé si funcionará el baño»... Se mostraba animado, casi jovial. Al despedirnos, cuando nos acercábamos a mi parada —habíamos estado paseando por el Parque del Oeste— tuvo un gesto que me conmovió. Me miró como un niño agradecido, cogió mi mano y se inclinó a besarla, aunque no la tocaron sus labios. Llegaba mi autobús y exclamó, precipitadamente, mientras yo me subía: «¡Quién sabe si el Otro me seguirá allí!»... Aquello me deprimió; recuerdo el borroso deslizarse de las casas por la ventanilla del autobús, «al otro lado» del cristal, como decía él del mundo tras el espejo. Comprendí que iba a la casona, a su pasado familiar, buscando otras puertas. ¡Cómo podía yo imaginar lo que iban a revelarle al abrirse, antes de atraerle a la muerte!

—No te entiendo. ¿El accidente?

Me mira con reproche y me hace sentirme un instante como si yo fuera su discípulo. Me tiende otro sobre.

—Recibí esta carta, enviada desde Potes.

Saco las cuartillas y empiezo a leer, mientras me

pregunto por qué Clara tiene miedo, por qué le parece extraño el accidente, qué misterio revelaron aquellas puertas:

«Lo lamento por usted, pero mi problema es cada vez más claro. Tenía yo razón en temer —o esperar— que el Otro me siguiera aquí. No me siguió; se anticipó. Me aguardaba a mi llegada. Claro, él es mucho más rápido, pues se mueve al otro lado del espejo...».

Sigo leyendo los prolijos detalles de cómo, poco a poco, Riancho fue descubriendo y desenterrando su pasado o, mejor dicho, el de su bisabuelo... Encontró unas cartas en un antiguo mueble de la casona y, con ellas, dos amarillentas fotografías, ambas de la misma mujer joven: En una con un vestido fin de siglo, una gran pamela y una sombrilla de encajes, como si estuviera en una playa; en la otra aparecía disfrazada de caballero francés de la época Luis XV, con calzón corto, casaca, espadín, zapatos de tacón y peluca blanca. «Es mi vivo retrato» —comenta la carta— «se podría mandar a un periódico como mía representando, por ejemplo, "El caballero de la rosa".»

Continúo leyendo la historia que Riancho reconstruyó en su casona a base de las cartas descubiertas y charlando acerca de su familia con una nonagenaria que recordaba al bisabuelo. Poco a poco comprendo por qué la abuela de Ernesto prefería olvidar ciertas cosas:

«He descubierto —escribe Riancho— que mi abuelo Félix nació con una hermana gemela, idéntica a él salvo en el sexo. En las cartas se muestran ambos como niños inseparables y tan encariñados mutuamente que los padres, por prudencia, procuraron distanciarles al acercarse la pubertad, para evitar tendencias morbosas. Afortunadamente el niño, gran lector de novelas de aventuras, estaba obsesionado con la idea de ser marino y, antes de cumplir los catorce años, pudieron embarcarle con un capitán que, además de ser su padrino de bautismo, hacía la travesía regular de Cádiz a Filipinas. La niña, mi tía bisabuela, fue ingresada interna en el colegio de madres dominicas de Santander, donde pronto mostró talento musical, logrando incluso premios en el conservatorio: ¡ahora comprendo de dónde me viene el ser compositor! Claro que los hermanos se escribían, pero, entre las navegaciones y la censura de las monjas, por fuerza era correspondencia muy espaciada y además inocua. ¡Bien se lamenta de ello Felisa, la hermana, en sus cartas posteriores! Cuando el joven marino llegaba, acompañando al capitán desde Cádiz, solía ser tan sólo por pocos días, pues el clima de insurrección previo a la guerra de Cuba, que no tardaría en estallar, exigía viajes continuados...

»El resultado fue que, durante años, los dos hermanos apenas pudieron verse. Entretanto Felisa llegó a la edad de su puesta de largo y, dada su belleza y la buena posición familiar, le salieron sucesivos pretendientes que ella rechazó siempre...

»De pronto, el golpe teatral: mi bisabuelo llegó a España casado con una mujer nacida en Cuba, aunque hija de españoles que se habían trasladado con sus negocios a Filipinas, creyendo el archipiélago asiático más tranquilo. ¿Por qué ese matrimonio súbito? ¿Perdió Félix el seso ante una belleza morena, tropical, en el romántico ambiente de la colonia? ¿Se cansó de la soledad del marino? El caso es que fue una boda precipitada, sin tiempo siquiera de contar con los padres, porque hubo incluso rapto de la joven, obligándoles a casarse sin esperar a más. Los padres de mi bisabuelo, al principio sorprendidos y supongo que hasta escandalizados, acabaron aceptando el matrimonio con una muchacha sin otra tacha que aquella "calaverada" y que además era de familia adinerada, por lo que mi bisabuelo se instaló con ella en Santander... Entonces, la tragedia: llegada de Felisa y rotura del dique, desbordándose los sentimientos de ambos hermanos. Las cartas que he encontrado son —ya las leerá— las que ellos empezaron a cruzarse, haciéndolas llegar el uno al otro clandestinamente. Todo el amor carnal reprimido desde la infancia estalló de pronto. Hoguera que fue sin duda infierno y, a la vez, ardores celestiales; todavía resplandece en esta correspondencia... ¿Se consumó el incesto o no? Lo ignoro, pero pocos amores habrán sido tan desaforados. Ante algunas de las cartas de Felisa me he sentido envidioso de tanta capacidad de amor...

»La cubana, claro está, acabó dándose cuenta y debió de sentir unos celos también infernales porque un día, en 1901, se precipitó sobre su cuñada con un cuchillo y la mató clavándoselo junto a su pecho izquierdo. ¡Justo donde yo tengo, de nacimiento, una mancha roja; un "antojo" que en mi caso se comprende, porque es aquella sangre antigua, imposible de borrar! También me explico ahora otras cosas. Por ejemplo, si hasta el pasado verano no percibí nada anormal en el espejo es porque hasta entonces mi bisabuelo, desde el otro lado de la luna, no me había visto nunca el pecho desnudo, con la mancha tan reveladora para él... Y también se comprende cómo él me aguardaba en los espejos de la casona: porque el de mamá procedía asimismo de allí y es también otra puerta por la que Félix puede manifestarse.

»Pero ¿para qué? ¿Qué quiere mi abuelo, qué viene a exigirme, sospecho, después de aquella tremenda historia de amor? ¿O acaso los otros ojos que veo son los de Felisa, o son uno y otra alternativamente?... Usted, la psiquiatra, se resistirá a creerme y sacará de sus libros palabras técnicas de origen griego o del vocabulario freudiano, para hacer racional y lógico lo que me ocurre. Pero habrá de rendirse a

273

la evidencia, a las pruebas que tengo. Las cartas, las fotografías, los recuerdos de la nonagenaria testigo: toda una historia irrefutable. Ahora bien, ¿por qué revive ahora el pasado con las apariciones en los espejos, con ese manifestarse ante mí, el descendiente? Ése es el misterio que oculta una verdad. En vez de resistirse a aceptarla, debería reconocer nuestra gran ignorancia ante los abismos de la vida.

»Yo ya he aceptado y eso me ha traído la serenidad. No puede imaginarse qué tranquilo duermo, cómo ha desaparecido mi angustia, cómo me siento incluso orgulloso de la asombrosa aventura que estoy viviendo. Hasta espero que de alguna manera mis emociones de privilegiado, en contacto con lo oscuro esencial, influyan positivamente en mi creación artística... ¡Soy un privilegiado, sí!: ahora por fin comprendo... Usted también comprenderá cuando hablemos más despacio y conozca mis planes para aclarar hasta el fondo la conducta actual de mi bisabuelo».

Leo rápidamente una despedida más bien abrupta y pregunto a Clara:

—¿No te escribió más cartas?

—No supe nada de él en varias semanas. Llegué a inquietarme porque tampoco los periódicos daban noticia de sus habituales actividades. Le escribí y me devolvieron la carta por ausente... Al fin, un día, me telefoneó para vernos. Me alegré mucho y le reñí en broma por su silencio. Vino a recogerme al Colegio y, como era domingo y muchas compañeras habían salido, nos quedamos en el tranquilo jardín. Me encontró trabajando en las encuestas que usted conoce y eso permite ahora escucharle, porque tenía yo la grabadora a mano y no se opuso a registrar nuestra charla. Me sorprendió su conformidad; ahora comprendo que nada le afectaba ya, que todo estaba decidido.

Clara ha sacado mientras habla su grabadora y la

coloca sobre la mesilla, poniéndola en marcha. Observo su sobresalto y su pena cuando escucha la voz ya muerta. A mí lo que me sorprende es la tesitura, más alta de lo habitual en el Riancho que conocí. Aunque suena categórica, llena de voluntad.

«Sí, he tardado mucho y no le he escrito más; lo siento, pero quería estar seguro... Al principio de saberlo todo tuve demasiado miedo para comunicar con nadie, ni siquiera con usted... Porque mi aventura parece imposible.»

La voz se anima. Clara escucha ávida mientras yo observo sus reacciones.

«Yo ya sabía antes que el "otro" era mi bisabuelo Félix. Pero cuando descubrí quién soy y cuando comprendí lo que él quiere ¡qué choque emocional!»

La voz se estrangula y queda un denso silencio en el que murmura el giro de la grabadora. Clara me mira ansiosa, observándome a su vez.

«Sí, ya lo sé todo, con absoluta certeza... Soy Felisa, su hermana —confiesa la voz en un susurro más estremecedor que un grito—. Y lo que Félix quiere es seguir amándola. ¡Amándome! Hacerme suya, ¿comprende?, gozarme eternamente al otro lado del espejo, hacerme arder con él en aquel amor incestuoso y eterno.»

«¿No comprende que eso es imposible? —suena la voz dolorida de Clara, y me doy cuenta de que no oculta su temor—. ¿Cómo puede ocurrir eso? ¿Dónde? ¡Vuelva a la realidad, Ernesto!»

«¡Dónde va a ser: al otro lado del espejo! ¡Donde viven ellos! Donde él habita y desde donde se asoma; desde donde aquel primer día me reconoció por la sangre cuajada en mi pecho.»

Ahora me asusta a mí, pese a mi experiencia, tanta seguridad en el delirio. No tengo palabras durante ese silencio de la grabadora en el que palpo el oscuro e implacable pozo de la demencia, el trágico laberinto del espíritu desorganizado. Clara tampoco pudo responder de pronto, aunque al fin escucho su voz, esforzándose por parecer tranquila.

«Pero si es en ese mundo, al otro lado del espejo, Felisa estará también allí. ¿Qué necesidad tiene Félix de usted?»

La respuesta brota en el acto con la rigurosa lógica del demente:

«No, ella no está allí ahora. Antes sí, y también se asomaba, ahora lo sé. Pero ya no está porque ha entrado en mí... Es usted quien no comprende: Felisa se ha instalado en mí, ha traspasado el umbral del espejo porque él no se conforma con gozar de una sombra. Quiere poseer un cuerpo y es el mío. Éste que usted ve, pero que ahora es Felisa...»

Clara callaba y la grabadora reproduce el tolerante suspiro de quien ha de explicar lo evidente a un incrédulo:

«Quizás aún no pueda notarlo del todo, y menos aún viéndome con este disfraz de hombre, pero ella me ha transformado, prepara mi cuerpo para él. Sí, me convierte en mujer... Eso es lo que al descubrirlo me daba miedo. Prefería creer que el Otro era ella disfrazada de hombre y que buscaba en mí la reencarnación de su amado, mi bisabuelo... Pero existe una prueba irrefutable: la sangre en mi pecho. Félix no llevaría nunca esa señal, la que le hizo reconocerme... Y hay muchos más datos: me he rendido a la evidencia. Me estoy feminizando físicamente. Eso me aterraba, por eso me he ocultado, he viajado de acá para allá eludiendo los espejos, negándome a las puertas... Pero era tarde, ella ya había entrado en mí y seguía operando en mi cuerpo... Compréndalo, tuve miedo de irme sintiendo mujer; no me atrevía a verla ni a usted, la única a quien puedo decírselo... Y luego, poco a poco, fui aceptando; después de todo, ya antes tenía yo mucho de Felisa: el parecido, la música, la delicadeza, pues nunca fui violento ni avasallador. Cierto que también me parezco bastante al bisabuelo, pero en otro estilo; nunca tuve su viril arrogancia, su afán aventurero por esos mares... A quien me parecía era a ella... Entró en mí durante mi estancia en la casona, ahora lo veo claro. Hubo incluso una noche de insomnio en que la sentí instalarse, percibí como algo acomodándose en mi piel, provocando una sensación general que entonces no supe interpretar. Pero los hechos me han convencido. ¡Cómo me ha moldeado Felisa! Mi piel es ahora más blanca, más suave. He perdido casi todo el vello. Se han desarrollado mis pectorales y poseo una nueva, intensa, sensibilidad en mis tetillas. La nuez de Adán se ha suavizado: toque mi cuello, tóquelo. Y mi tesitura atiplada, ¿acaso no se ha dado cuenta?»

Hasta yo comprendo ahora la tesitura de esa voz cada vez más triunfante.

«Para decírselo todo: mis testículos están entrando en mi abdomen; mi pene se ha empequeñecido... Y, por supuesto, mi espíritu es otro: soy Felisa. ¡Soy Felisa!»

Empiezo a adivinar, aunque aún no pueda concretarlo. Empiezo a sospechar, pero no me atrevo, por qué hay ese espanto y ese dolor en los ojos de Clara. Siento un escalofrío.

«No lo discuta, no se oponga locamente a la realidad. Lo sensato es aceptarla y gozarla: desde que lo decidí me siento revivir. Se lo confieso: yo antes no había conocido nunca la pasión, ésa por la que la gente mata o muere, ¡y ahora la estoy viviendo en Felisa! ¡Qué fuego indescriptible, qué excitación constante! Quiero vivir ese ardor de mi sangre, ¡y puedo vivirlo desde que soy Felisa!... Mire, hace días alquilé un traje de caballero Luis XV y me miré, vestido con él, en el espejo de mi alcoba. ¡Por fin me vi a a mí mismo siendo Felisa! Igual que en la amarillenta fotografía. La reencarnación estaba hecha... Y entonces ocurrió lo extraordinario; es decir, lo natural, en mi vida de ahora: poco a poco, en el espejo, mi imagen fue siendo sustituida por la del bisabuelo Félix que ya no me miraba, como la primera vez, ni compasivo ni maligno. ¡No, ya sus ojos eran adorantes, su sonrisa enamorada, con toda la pasión de sus cartas!... Y yo... de verdad... me estremecí de amor, deseando su abrazo... ¡Pertenecer a ese hombre, que me lleve a ser uno de ellos, a habitar el misterio! ¡Es todo tan alto, tan hermoso!... Ahora voy orgulloso por las calles, llevando mi secreto como una joya espléndida, como tabernáculo de una secreta religión salvadora... No puedo explicárselo, es imposible, pero me rebosa júbilo y exaltación el alma... He sido elegido por él y por ellos, los eternos; por eso ya no temo; al contrario, me siento envidiable. Aunque pudiera no dejaría de ser Felisa y ya sólo le pido a mi hermano que espere un poco más, unos días, para identificarme del todo, limpiarme los últimos residuos de Ernesto... Entretanto, ya vivo para él: cuido de que no me vea nunca con esta chaqueta y estos pantalones absurdos, sólo entro en mi alcoba para dormir llevando un precioso camisón de encajes... Al levantarme por la mañana me pongo ante el espejo unas medias y un liguero, para que vaya disfrutando de mi cuerpo; me visto un salto de cama y salgo fuera a disfrazarme otra vez de hombre para la calle, por poco tiempo ya... Así ve siempre a Felisa, ¿comprende?; así le endulzo la espera...»

Clara corta la marcha de la grabadora y me mira humilde:

—No quiero que oiga usted mi reacción. Perdí el control, no supe ayudarle... No podía creerlo, estaba desconcertada...

Vuelven a asomarle las lágrimas. Trato de consolarla; yo mismo hubiera sido incapaz de reaccionar.

—Sólo supe lanzarle —continúa al fin— unas cuantas racionalizaciones científicas que a mí misma me sonaban a hueco. ¡Cómo le sonarían a él!...

Ya no hubo diálogo, no había un terreno común de entendimiento... Antes de dejarme me hizo su último regalo. Sacó de su cartera una partitura manuscrita: su última obra. «Para usted —me dijo—. Ya he escrito a mis agentes que los derechos de autor son suyos. Voy a dedicársela.» Entonces sacó la pluma y escribió unas palabras en la primera hoja... «Felisa tendrá que firmar Ernesto», bromeó... Se despidió cariñoso, tranquilo... y hasta hoy, hasta el periódico de esta mañana.

—Ha sido mejor que el espejo se desprendiera de la pared, se le cayera encima y le matara... Le hubieran internado hasta su muerte, quizás durante años.

Clara niega, convencida:

—No ha sido accidente. Él ha descolgado el espejo para atravesar ese umbral por su voluntad y es entonces cuando el cristal roto se ha clavado en su cuello, cortándole la yugular... Estoy segura: Felisa ha muerto en busca de su amado... Quién sabe si ahora está con él...

Ahora soy yo quien tiene miedo por Clara y pienso, ante tanta sensibilidad con un paciente, que quizás haga bien al querer desistir de una profesión que le haría daño. Pero ahora importa enfrentarla con la realidad, y expreso la idea que viene rondando por mi cabeza desde que empecé a oír a Riancho.

—No seas insensata, mujer... Hay otra explicación que no se te ha ocurrido porque no vives, como yo por afición, en el mundillo de los músicos. Una explicación basada en hechos más reales que los que acabamos de oír... Mira, a Riancho siempre se le consideró un tipo raro, ya lo sabes. No se le conocían asuntos sentimentales, era huraño, retraído. Algunos ya le sospechaban homosexual latente. Pues bien, últimamente se comentaba que había dejado de reprimirse, porque le acompañaba mucho el nuevo primer viola de la Nacional. Un húngaro exiliado aquí, medio gitano, joven, moreno, llamativo. Lo razonable es pensar que al fin Riancho cedió a sus tendencias enamorándose del músico y que, aplastado por su educación puritana, lo ha disfrazado mediante la racionalización de creerse convertido en Felisa. Todo eso de dormir con una prenda femenina y ponerse medias lo hizo de verdad, pero para su amante húngaro, clarísimo.

Efectivamente lo creo así, como creo en el accidente. Pero Clara me replica:

—¿Y los síntomas? Su voz cambiada y su piel más blanca —yo lo noté— y su barba y bigote casi desaparecidos. Y su distinta manera de moverse...

—Era homosexual manifestándose a su pesar y exagerado por tu preocupación.

Clara niega:

—No, usted no sabe. Cuando yo hablé con él, ya era Felisa. ¡Era Felisa!

Clara se inclina hacia mí, sujeta mis manos y me pregunta, frenética:

—Dígame, ¿era zurdo Riancho?

—Claro que no. Más de una vez le vi firmar autógrafos a sus admiradores, siempre con la mano derecha.

Clara se echa hacia atrás y me mira desafiante.

—No, claro que no era zurdo. También escribió para mí su dirección cuando era Ernesto. Pero el último día ¡me escribió la dedicatoria de su partitura con la mano izquierda! ¡Sin vacilar, con la mano izquierda! ¿Comprende ahora? ¡Se había vuelto zurdo! La mano derecha de Ernesto se había convertido en la mano izquierda de Felisa... Porque era ya uno de los otros, los de detrás del espejo.

1989

Iniciación

El poderoso motor ruge cada vez más próximo. Cuando cesa de repente las dos amigas se asoman a los cristales: ¡tiene que ser ella!

Abajo, en la plazoleta devuelta a su silencio, un *Jaguar* deportivo. Negra pantera que despliega una portezuela como estirando una garra. Asoma una pierna bien calzada, luego otra. Úrsula emerge y se yergue, refinado poderío, contra la negra silueta mecánica tendida a su lado. Alza el fascinante rostro, bajo el ala de un sombrero inconcebible en cualquier otra, y su mano saluda hacia lo alto.

Teresa se dirige a la puerta de entrada, Ana queda contemplando dubitativa la cómoda salita. ¿Le parecerá modesta a la visitante? Desecha su temor en el acto: conoce bien a Úrsula. Quedará prendida del amplio ventanal, ante el cielo y el mar de las sirenas que les hizo a Derek y a ella comprar la casa y afincarse en el viejo Sitges. Además, Úrsula está por encima de todo. Ana quisiera tener el temple de esa triunfadora para afrontar sus actuales problemas.

Oye el timbre y corre también a la puerta. Besos y abrazos verdaderos; cuerpos estrechándose. Bienvenidas, risas, mutuas contemplaciones pasillo adelante: «¡Estás guapísima!»... «Sí, pero un año más»... «¡Tú has adelgazado!»... Y la pregunta ansiosa de las que aguardaban: «¿Estarás muchos días?».

—Algo más de una semana. Esta noche he de regresar a Barcelona porque tengo una reunión mañana muy temprano, pero en cuanto acabe volveré con vosotras.

La reunión anual es algo extraordinario para las tres. Incluso para Úrsula, acostumbrada a dejar su casa en Ginebra para acudir a Tokio, a Nueva York, a Estocolmo, organizando exposiciones o autentificando iconos y miniaturas. En medio de sus vidas cotidianas el encuentro inserta un paréntesis sustraído a otro tiempo: aquél de las dos colegialas que vieron llegar a Úrsula al madrileño colegio *Atenea*, donde intimaron las tres desde el primer momento. Vivieron cinco años juntas para todo: las primeras medias, los primeros amoríos, las primeras responsabilidades. Úrsula hubo de separarse cuando, al morir su abuela y tutora en España, el padre exiliado la reclamó desde Moscú. Hasta doce años después, cuando Ana encontró casualmente a Úrsula en Londres y la sacó del hundimiento sufrido por la muerte de Oswald, no se reconstruyó el trío, ya para siempre.

En la salita Úrsula se quita el sombrero y descubre su melenita de paje en torno a unas facciones voluntariosas de joven Napoleón, pero seductoramente femeninas. Contempla la habitación y se acerca al ventanal donde, más alla de la plazoleta costera, se despliega la eterna juventud azul del mar.

—¡Qué ganas de quedarme aquí!

Se quita la chaqueta del impecable sastre negro. La blusa color tórtola modela unas curvas de muchacha. Al sentarse, sus rodillas asoman perfectas bajo la seda de las medias.

—¡Pero si en Ginebra lo tienes todo! ¡Hasta el lago bañando tu jardín!

—Nunca se tiene todo. Afortunadamente.

Ana sirve el té. Entre pastas y tarta se elogian los vestidos, se comentan los peinados, se cambian noticias de las familias: los tres hijos de Ana y su marido; de Teresa la hija ya casada y el yerno, el nieto sobre todo.

—Mi Manolo; tiene ya catorce años. Alto y guapo; está hecho un hombre —proclama la abuela—. Hoy es su salida mensual del colegio. Luego le verás, ha de pasar por aquí antes de coger el tren para Barcelona... Se le está haciendo tarde —añade, algo inquieta.

Pero es Úrsula quien da más explicaciones, por las peripecias de su vida viajera, que relata sin reservas. Sigue sin unirse a un solo hombre; no ha vuelto a pensar en ello después de Oswald. Vive con Igor, su socio y compañero, valioso para el negocio y para los sentidos; sensato y comprensivo. Y acude de tarde en tarde a respirar alturas en el retiro valdostano de Valerio, maestro espiritual, iluminador de profundidades.

—Bueno —concluye tras un breve silencio—, y el placer eventual cuando aparece sin buscarlo, cuando llega con dignidad.

Pasada revista a las novedades vuelven como siempre a sus recuerdos de juventud. Comparan con los jóvenes de ahora, tema que obsesiona a Ana, preocupada por ciertas amistades de su hijo, sospechosas de adicción a las drogas.

—A lo mejor exageras —tranquiliza Teresa—. ¿Acaso le has notado algo a Jorge?

—No, pero estoy sobre ascuas. ¡Tienen ahora los jóvenes tantas facilidades! Les iría mejor como en nuestro tiempo. No necesitábamos drogarnos para disfrutar; hasta un beso en el cine era sensacional.

—No es tan sencillo —replica Úrsula—. No nos

drogábamos, cierto, pero la iniciación era aberrante. Para nosotras, saltar en la noche de bodas desde la virginidad ignorante hasta la permitida voluptuosidad. Y ellos peor: generalmente en los brazos vulgares de una puta. Una represión irracional.

—¡Por eso mismo, cuando te surgía una aventura...! —murmura Teresa.

Lo ha dicho de un modo tan personal que Úrsula y Ana la miran con sorpresa. ¿Una aventura ella? Sin duda; por eso parece replegarse en sí misma, como para retirar sus palabras.

—¿Cuándo fue? —exige Ana.

—¡Eso! ¿Cuándo?

—¿Qué queréis decir? —finge no entender Teresa. Pero no le vale. Sus amigas presionan. Ana sobre todo.

—Vamos, mujer, cuéntalo... Úrsula y yo no te ocultamos nada.

—¡Si fue una sola vez, como un sueño! Casi no llegué a creérmelo... Perdonadme.

—Sólo si confiesas ahora —sonríe ya Ana.

Teresa habla, entre embarazada y resuelta, amparada por la penumbra creada en la salita al atardecer. Las primeras frases sorprenden a Ana porque ocurrió allí mismo, en Sitges, el primer verano en que Teresa alquiló un hotelito frente a la playa, con su yerno y su hija, ya embarazada de Manolo. Una historia sencilla. El joven matrimonio que marcha un día a Barcelona, Teresa acudiendo sola a la playa y un muchacho extranjero, rubio, tímido, que clava en ella su mirada adolescente desde un toldo cercano. De repente un chubasco de verano, la sombrilla de Teresa vuelta del revés por el viento, el muchacho acercándose a ayudarla, acompañándola luego en la carrera bajo el aguacero. Ella haciéndole entrar en la casa, ofreciéndole un albornoz de su yerno mientras la ropa se secaba, sustituyendo la suya con una bata. Ambos sentados frente a una estufa encendida y entonces... Fueron los ojos, las manos, la conciencia de la desnudez bajo las telas, la sensación de haberlo dispuesto así el destino...

—No fui yo, sino otra... Algo me lo mandaba... La vida había traído a aquel chico, hasta mí como a una playa, con su inocencia virgen... Acogí su timidez, sus titubeos, su inseguridad... Si me hubiese acosado no hubiera ocurrido nada, pero así... ¡Fue tan natural, tan limpio, tan cándido, que me sentí virgen yo también, descubriendo una ternura de la carne que mi marido no me dio la primera vez!

Úrsula escucha fascinada, no por el relato mismo ni por la voz tan estremecida al recordar, sino por estar descubriendo a una Teresa desconocida, distinta de la siempre alegre, aquella casi frívola flotando sobre los acontecimientos, como si resbalaran sobre ella. Esta nueva Teresa había vivido muy hondamente su hora de amor. Lo proclamaban los matices obsesivos de su voz, los apasionados silencios, las manos tensamente entrecogidas... Teresa no hablaba ya para sus amigas sino para sí misma, excavando memoria adentro para recobrar el tesoro de aquellos mágicos instantes. Su palabra casi materializaba en la penumbra al doncel virgen, suspenso ante el carnal misterio pero ansioso por conocerlo, confiado para su iniciación a la sabiduría de la sacerdotisa.

Úrsula descubría a una Teresa envidiable pero además —se asombró al advertirlo— a una Úrsula que aún ignoraba otro hermoso rostro del amor. Hasta ese momento creía haber pasado por todos los abrazos posibles, desde su aceptada violación primera por un jefe acostumbrado a gozar de sus secretarias. Sus posteriores escapadas con compañeros rutinarios y otras aventuras; el amor único de Oswald roto por la muerte; el acceso a la estabilidad emocional con Igor y los deslumbramientos de su maestro espiritual; las variantes exploradas en frecuentes ocasiones... Había creído abarcar con ello la gama entera de las pasiones y ahora, en esta salita doméstica, venía a descubrir una pasión distinta: la excitante misión de abrir los ojos y guiar las manos del neófito; la grandeza de hacerle alcanzable una diosa; la sensualidad de despertar su piel intacta, creándola con la caricia; el saboreo de las torpezas tiernísimas y los atrevimientos inocentes; la emergencia del deseo en los ojos cándidos y ávidos a un tiempo; el desmayo, después, de esos ojos; el orgullo de dejar marcada a fuego aquella carne con un recuerdo para siempre... En suma, vivir una iniciación con sabiduría y con el morboso aliciente de rozar el incesto, sintiéndose a la vez creadora y poseedora, dadora de más que la vida; la prohibida fruta del bien y del mal. Madre que engendra en lo engendrado y es engendrada a la vez en un doble primer espasmo genesíaco...

¡Qué reveladoras para Úrsula, por debajo del relato, las palabras de Teresa, cuyos ojos se cierran para recordar mejor! Úrsula también entorna los suyos y retiene la conclusión de la historia: «Aquella tarde di a luz a un hombre...». Y luego, con inmensa nostalgia en un suspiro: «Ay, se llamaba Ufe!».

—¡Ufe! —suena la voz de Ana en un respingo.

—Un nombre raro, sí... Era danés. No volví a saber de él.

Ana se levanta a encender las luces. Úrsula trata de sosegar sus emociones. Teresa, de súbito alarmada en su vuelta a la realidad, exclama:

—¡Dios mío, este muchacho! ¡Tenía que estar ya aquí!

Explica, mirando el reloj, que el último tren con el que puede Manolo llegar a tiempo al internado es el de las siete cuarenta. Tendrá ella que ir a recogerle ahora mismo en el tenis, donde el chico se olvida de la hora.

Ana sugiere que telefonee al club, pero Teresa replica que está siempre comunicando y, sin atender a razones, sale de casa toda nerviosa.

«Parece huir de su propia confidencia», piensa Úrsula. «Y Ana, ¿por qué esa expresión?»

—¡De modo que Ufe! —comenta Ana, volviendo de sus pensamientos—. ¡Pobre Teresa, qué ingenua!

Úrsula escucha con asombro la explicación. Aquel verano los hijos de Ana amistaron en la playa con un muchacho danés, Ufe; sin duda el Ufe de Teresa. Tenía diecisiete años aunque parecía más joven. Se envanecía de su experiencia amorosa frente a los chicos españoles, entonces más reprimidos. Y por sus hijos había sabido Ana que el danés se había jactado de su aventura con una señora que le había creído inocente.

—¡Y resulta que era Teresa! Pobrecilla, ni le inició ni nada... Todo falso.

—Te equivocas, Ana —corrige Úrsula, todavía conmovida por el relato—. Para ella fue realidad. Se sintió iniciadora, lo gozó como lo ha dicho... ¿Acaso no la oíste? ¿No has sentido la emoción en su recuerdo?... ¡Qué importa cómo lo vivió el muchacho! Sin querer resultó inocente, verdadero aunque fingiese... ¿No hablábamos hace un momento de iniciaciones frustradas? Pues aquélla fue ideal, la que no hemos conocido nosotras... ¿No la desearías igual para tu hijo?

—¿Qué dices? —se asusta Ana—. ¡Eso no se hace!

A su vez se asusta Úrsula de ese grito de celos maternales y comprende aún mejor cuán hondo fue aquel día el placer de las entrañas en Teresa, el gozo de su carne de mujer y madre. Se abisma en su envidiosa cavilación y no repara en la salida de Ana, llevándose el servicio de té.

—¡Hola!

La saca de su abstracción esa voz jovial. Alza el rostro y el muchacho recién aparecido se disculpa.

—Perdón, señora. Me confundí.

Alto para su edad, rubio, sonriente, tímido y osado. Brillantes los ojos ante la desconocida. Ella le mira, le mira. ¿Será posible que a veces se encarnen los pensamientos?

—¡Manolo! ¿Cómo has entrado? —surge Ana.

—La puerta estaba abierta. Me extrañó.

—Tu abuela, que corrió a buscarte... Mira, nuestra amiga Úrsula, que tanto nos has oído nombrar.

El muchacho se inclina y saluda. Explica a Ana su tardanza mientras evita mirar a Úrsula, delatando así su curiosidad.

—Pues tu abuela se ha ido al tenis. No sé si alcanzaréis el tren.

—Puedo llevarle yo —les sorprende Úrsula, sobre todo cuando añade—: Incluso puedo llevarle a Barcelona. ¿A qué hora has de estar en el colegio?... ¿A las nueve? ¡Sobra tiempo con mi coche!

—¿Es el *Jaguar* aparcado fuera? —brillan los ojos de Manolo—. ¡Claro que sobra!

—Pues decidido. Descansa ahora mientras vuelve tu abuela.

Obediente, Manolo se sienta en el diván, donde le indica Úrsula. Ana se nota de pronto extrañamente ajena al diálogo, como excluida de la escena.

Úrsula nota sobre sus rodillas la mirada adolescente. Se estira la falda con deliberación y capta la confusión de esa mirada. Ahora es ella a quien brillan los ojos sobre la sonrisa invisible.

—¿Cuánto corre el *Jaguar*? —se atreve a preguntar Manolo.

—Todo lo que tú quieras —susurra la mujer.

Ana, siempre desde fuera o desde lejos, juraría que antes los pechos de Úrsula apenas se notaban bajo la blusa. «Será la luz de la lámpara que la ilumina en ángulo», se dice, intrigada, mientras desea ansiosamente la llegada de la abuela.

1991

Este libro se acabó de imprimir
en Duplex, S.A. (Barcelona)
en el mes de abril de 1993